Strobl, Karl Hans

Die Nibelungen an der Donau

Festspiel in vier Abteilungen

Strobl, Karl Hans

Die Nibelungen an der Donau

Festspiel in vier Abteilungen

Inktank publishing, 2018

www.inktank-publishing.com

ISBN/EAN: 9783750116818

Karl Hans Strobl

Die

Nibelungen an der Donau

Festspiel in vier Abteilungen

Berlin, 1907, F. Fontane & Co.

Dieses Festspiel wurde für das Preisaus=
schreiben des Nibelungen=Denkmal= und Volks=
schauspiel=Vereins „Bechelâren" geschrieben.

Bedingungen der Arbeit waren: Das Haupt=
gewicht müßte auf die in den Donauländern spielen=
den Vorgänge verlegt werden, und das Stück müßte
von Schauspielern aus dem Volk dargestellt werden
können.

Um die erste Bedingung zu erfüllen, war es
nur notwendig, den Blick unbefangen auf der
Handlung des Nibelungenliedes ruhen zu lassen.
Zwei Örtlichkeiten und die in ihnen spielenden
Handlungselemente drängen sich sofort auf, die
Burgen Rüdegers und Etzels. Neben den Vor=
gängen in Pöchlarn und Hainburg verschwinden
die Geschehnisse zu Passau und Wien. Rüdegers
Burg rückt zweimal in den Vordergrund des
Gedichtes. Zweimal bewillkommt Rüdeger hier
hohe Gäste. Kriemhild, als sie ins Hunnenland

1*

zieht, und die Burgunden, als sie der Einladung, die sie verderben soll, Folge leisten. Ergibt sich hier schon durch die zeitlichen Bedingungen die Notwendigkeit zweier Abteilungen, so erscheint es auch geboten, die Fülle der Ereignisse an Etzels Burg durch einen Abschnitt zu lockern und übersichtlicher zu machen.

Ganz ungezwungen ergaben sich so die vier Abteilungen des Stückes, eine Anordnung, deren Symmetrie nicht ohne ästhetischen Reiz zu sein scheint.

Schwieriger war es, der zweiten Bedingung des Preisausschreibens gerecht zu werden. Das Festspiel soll für Volksschauspiele bestimmt sein. Nun weiß man, daß der große Wert der Volksschauspiele etwa in Oberammergau oder anderswo nicht auf künstlerischen oder literarischen Erwägungen beruht. Es ist die Patina, die uns diese Stücke wert macht. Der Edelrost des Alters, denn die Bühnenspiele dieser Art reichen mit ihren Wurzeln meist um Jahrhunderte zurück, sind den alten Mysterien noch näher als unseren modernen dramatischen Gebilden. Wo sich ein moderner Bearbeiter gefunden hat, hat er sich von diesen Ursprüngen wenig entfernt, ist, mit allen Eigenheiten seines Volkes und Landes vertraut, bedacht gewesen, diese seiner Arbeit zu wahren und hat so mehr oder weniger bloß latente dramatische Volksenergie geweckt. Entfaltung dramatischer Volksenergie! Das ist es.

Wir wissen: die Gemeinde von Oberammergau hat ihre Festspiele gelobt, als die Pest im Jahre 1634 das Land verwüstete. Wir wissen: es sind latente künstlerische Energien da, die sich neben der schauspielerischen Begabung auch in Holzschnitzereien aussprechen. Mit einem: es ist eine „gewachsene" dramatische Kultur im Lande.

Man versteht, daß es mit Schwierigkeiten verbunden ist, als Landfremder ein Festspiel zu geben, das diese dramatische Kultur erst hervorrufen soll. Immerhin dürfte es gewagt werden, denn, wenn irgendein Stoff durch seine Wucht und Größe dazu geeignet ist, ein Volk zur Einsetzung seines ganzen Talentes anzuspornen, so ist es der Nibelungenstoff. Und vielleicht war der Plan des Nibelungenvereines doch ganz glücklich. Vielleicht ersetzte die Begeisterung für die unvergängliche Schönheit des Liedes und den alten Ruhm, was an „dramatischer Kultur" zurzeit noch nicht vorhanden sein kann.

Während der Arbeit aber merkte ich, daß wenigstens zwei meiner Gestalten, Kriemhilde und

Hagen, so Schweres von den Darstellern verlangen, daß selbst eine noch so große natürliche
Begabung niemals allen Anforderungen gerecht
zu werden vermöchte. Und ich bin auch heute
noch der Ansicht, daß, wenigstens für den Anfang
— ob nun bloß das mit dem ersten Preis belohnte
oder auch mein Stück aufgeführt wird — einige
Berufsschauspieler beizuziehen sein werden.

*　　*　　*

Eine andere Frage betrifft den Schauplatz
des Festspieles. Sie läßt sich kurz formulieren:
Naturbühne oder Schauspielhaus? Unsere Er-
fahrungen mit „Naturbühnen" sind nun nicht
gerade ermutigend. Und auch hier scheint das
Schauspielhaus vorzuziehen. Es gibt im Nibelungenstoff so viele intime Szenen, die keine dramatische
Bearbeitung vernachlässigen darf, Dialoge von
höchster Gespanntheit und Bedeutsamkeit des
Wortes, deren Wirkung auf der Naturbühne
verloren gehen müßte.

Vielleicht wird man in Pöchlarn nach dem
Vorbild einiger Schweizer Volksbühnen zu dem
Auskunftsmittel eines Bühnenhauses mit breiter,
offener Rampe greifen, auf der sich die Aufzüge
und Kämpfe entwickeln können. Meine Bearbeitung

hat diese Möglichkeit vorgesehen. Unter kluger Verwendung der natürlichen Bedingungen, der breiten, majestätischen Donau mit der wunderbaren ruhigen Kulisse der jenseitigen Hügel und Wälder ließe sich der Bühnenbau so in die Landschaft komponieren, daß auch diese dekorativ mitwirkt. In den beiden ersten Abteilungen, die auf Rüdegers Burg spielen, könnte dann der Hof auf der Rampe rechts von der Halle gedacht werden, und dort könnten die Aufzüge, die Gelage der Reisigen usw. stattfinden. Die dritte und die vierte Abteilung spielen ohnehin auf dem Raum zwischen den drei Hauptgebäuden von Etzels Burg und verlangten von selbst die Anwendung der Rampe für die Kämpfe.

*   *   *

Meine Bearbeitung scheint mir aber auch recht wohl für unsere hergebrachten Bühnenverhältnisse geeignet. Wir haben gesehen, welche Massenwirkungen eine sorgsame Regie auch auf beschränktem Raum hervorzurufen vermag. Und selbst, wenn hier ins Breite und Mächtige etwas verloren gehen sollte, so ließe sich doch wieder ins Tiefe und Eindringliche manches gewinnen.

Aber, wird man vielleicht sagen, wozu ein neues Nibelungendrama für unsere Bühnen? Haben wir nicht unseren Hebbel?

Vielleicht fühlt niemand so sehr wie ich die ungeheuere Größe Hebbels. Wenn mich in den Schauern meiner Arbeit der Gedanke an ihn befiel, dann drängte sich mir das Wort Fausts auf: „Weh, ich ertrag' dich nicht".

Sollte aber nicht dennoch mein Drama neben dem Hebbels bisweilen zum Wort kommen dürfen? Aus praktischen Gründen. Es scheint mir einfacher im Bau, denn es ist ja für ein Volksschauspiel bestimmt. Dann drängt es den Stoff auf einen Abend zusammen. Und man kennt ja die Abneigung unseres Schauspielpublikums gegen eine Trilogie.

*　　*　　*

Eine besondere Erklärung wird vielleicht der Umstand verlangen, daß ich den Kürnberger, den mutmaßlichen Dichter des „Nibelungenliedes" in mein Drama einführe. Kunstpsychologische Erwägungen gaben hier den Ausschlag. In dem Nibelungenlied des 12. Jahrhunderts haben wir Reste der ältesten Eddadichtungen, neben späteren Schichten, vor allem neben Motiven aus der Völkerwanderungszeit. Das Ganze aber erscheint im Gewande des 12. Jahrhunderts, wie etwa die naiven Meister der Frührenaissance das Leiden und Sterben Christi im Kostüme ihrer Zeit darstellten. So ist eine Einheit gefunden, und mitten im Gewühle der mit seinen „modernen" Augen gesehenen Menschen steht auch der Dichter selbst, unsichtbar, doch ihnen allen eng verbunden. Indem er sie zu seinen Zeitgenossen machte, indem er die Helden und Frauen der alten Sagen in die lebendige Gegenwart rückte, gewann er sich selbst Heimatsrecht in dieser Welt.

Was hinderte mich nun, den Dichter auch wirklich unter sie treten zu lassen, ihm seinen Anteil an diesen Geschehnissen zu geben, die ja, eben durch diese souveräne Verachtung alles Historischen und durch die Verbindung mit der Gegenwart von damals eigentlich zeitlos geworden sind?

Ich habe dem Dichter des Nibelungenliedes bloß die Tarnkappe abgezogen.

* * *

Es wäre zu wünschen, daß dem Nibelungen-Verein sein Plan gelänge. Ein schönes Ziel und aufs innigste zu wünschen. Wenn an den Ufern der Donau die alte Sage wieder Blut und Leben gewänne und Hunderte von Besuchern sich des großen Schatzes bewußt würden, der so reich ist, daß es noch immer einem und dem anderen bescheidenen Arbeiter gestattet ist, sich seiner, des noch immer nicht ausgemünzten, zu bedienen.

Brünn, Jänner 1907.

Karl Hans Strobl.

Personen.

Etzel, König der Heunen.

Kriemhilde.

Rübeger, Markgraf von Bechelären.

Gotelinde, seine Gattin.

Dietlinde, seine Tochter.

Der Nürnberger, ein Verwandter Rübegers.

Dietrich von Bern.

Hildebrand, sein Waffenmeister.

Blödel, Etzels Bruder.

Gunther,
Gernot,   } Könige der Burgunder.
Giselher,

Hagen.

Volker.

Dankwart.

Ekkehard, Rübegers Haushofmeister.

Der Küchenmeister Rübegers.

Ortlieb, Etzels Sohn.

Wolfhart,
Siegstab,   } Amelungen.
Wolfewein,

Iring,
Thüring, } Herzöge im Gefolge Etzels.

Werbel,
Schwemmel, } Spielleute Etzels.

Der Wächter in Rüdegers Burg.

Erster, zweiter, dritter Bauer aus dem Burgdorf.

Erster, zweiter, dritter Diener Rüdegers.

Ein alter Heune.

Erster, zweiter, dritter Knecht der Nibelungen.

Mannen Rüdegers, Etzels, der Burgunder und Dietrichs, Heunen, Frauen Gotelindes und Gespielinnen Dietlindes, Herolde.

Erste Abteilung.

(Die Halle in Rüdegers Burg. Der Raum ist in drei Teile
gegliedert. Im Hintergrunde ein erkerartiger Vorbau, der durch
einen Pfeiler vom Hauptraum getrennt ist. Durch die Bogenfenster
des Erkers Blick auf die Hügel des Donautales. Rechts eine Art
von Altan, ein geräumiger Säulengang, den schlanke Säulen vom
Hauptraum scheiden. Schlanke Säulchen (ungefähr im Stil der
Goslarer Kaiserburg) streben von der Brüstung des Altans zu
den Rundbogen auf. Die romanische Ornamentik ist edel und
maßvoll. Türen: eine in der linken, die andere in der Rückwand
neben dem Erker. Im Hauptraum ein ungeheurer Eichentisch
etwas links. Ein anderer, kleinerer Tisch im Erker. An den
Wänden Waffen, Teppiche und eiserne Leuchterflammern. An
der rechten Seitenwand eine Bank, mit Fellen überdeckt. Von
dem Altan rechts führt hinten eine Treppe in den Hof hinab.)

Erster Vorgang.
(Gotelinde, Ekkehard, Der Kürnberger,
Dietlinde.)

Ekkehard: Drei Bauern aus dem Burgdorf bitten
um Euer Gehör, Frau Markgräfin.

Der Kürnberger (der im Gespräch mit Dietlinde rechts
unter Säulen des Altanes stand): Was ist es, Festschmaus
oder Tod, was sie uns bringen?

Gotelinde: Soviel ich weiß, Hartwig, kommen
die Bauern zu mir und nicht zu dir.

Der Kürnberger: Verzeiht, Frau Gotelinde, ich vergaß, daß ich hier nicht auf meiner Burg bin.

Gotelinde: Ob's deinem Ohm genehm wär', wenn du ihm in seinen Angelegenheiten so laut zu Ohren kämst?

Der Kürnberger: Helf Gott, wie habt Ihr recht. Ja, ich vergaß, daß meine Burg die seine ist.

Dietlinde: Du hast dir den Verweis verdient.

Ekkehard: So soll ich sagen . . . ?

Gotelinde: Sie mögen kommen! (Setzt sich auf die Bank links.)

Der Kürnberger: Wie lange soll die Schmach noch dauern, daß man mir vorenthält, was mein ist?

Gotelinde: Gott schickt die Prüfung, uns zu läutern, mein junger Freund; ich glaube, du bist von Schlacken noch nicht ganz befreit.

Der Kürnberger: Scheltet mich, vieledle Frau und schürt das Feuer meiner Läuterung, damit ich eher besser werde, (leise zu Dietlinde) dich zu gewinnen.

Dietlinde: Still, mein Freund!

Gotelinde: Was hülfe alles Schelten, wenn ich nicht zugleich ein Vorbild zeigen könnte, dem du nach= streben sollst. Mein Gatte ist fern von hier, und darum darf ich's sagen: sieh seine Art als Vorbild an, dem du nacheifern mußt.

Der Kürnberger: Ihr zeigt mir ein Vorbild, das nicht zu erreichen ist.

Gotelinde: Schon, wenn du versuchst zu sein wie er, ist es genug, um deine rasche Jugend den richtigen Weg zu führen. Denk an ihn und laß mir meine Bauern in Frieden.

Ekkehard und die Bauern (über die Hoftreppe).

Ekkehard: Die Bauern, Herrin!

Der Kürnberger (zu Dietlinde): Ich mag sie nun einmal nicht gern. Sie sind mir zu dumpf und stumpf.

Gotelinde: Kommt näher und sprecht. Ihr wißt, Herr Rüdeger ist fort, um seinem König die Königin zu bringen. Schon sahen wir gestern Nacht die Flammenzeichen seiner Heimkehr, doch mag sich's noch verziehn, bevor er in Bechelaren mit Kriemhild einreitet. Und dann gibt's Trubel und Tumult, so daß ihr schwer zu Worte kämt. Drum sprecht zu mir.

Erster Bauer: Vieledle Frau Gräfin, die Sache, um die wir kommen, betrifft die Hausfrau eher als den Herrn der Burg.

Der Kürnberger: Er spricht wie ein Prälat.

Dietlinde: Der Mann ist weit bekannt durch seinen klugen Rat. Schweig doch.

Gotelinde: Die Hausfrau hört euch zu.

Erster Bauer: Es ist ein alter Brauch, der Euch vielleicht seltsam erscheinen wird, lacht nicht darüber, Herrin, die Väter haben's so getan . . . obzwar in letzter Zeit nur selten . . .

Zweiter Bauer: Ich kann mich nicht erinnern.

Dritter Bauer: Es geschah zuletzt, als ich ganz klein war.

Erster Bauer: Doch mir ist's deutlich, als wär' es gestern erst geschehn. Notfeuer nennt man diesen Brauch.

Gotelinde: Notfeuer? Ist eine Seuche ausgebrochen? Ich kenne diesen Brauch.

Erster Bauer: Es ist ein großes Sterben unterm Vieh . . . Gott sei bedankt: noch nicht bei uns. Die Seuche zieht sich von dem Rhein zur Donau quer durch das Land.

Der Kürnberger: Den Weg, den Kriemhild kommt.

Erster Bauer: Ja, es ist, als folgte sie den Spuren und liefe dann voran, sie zu erwarten und wieder ihr zu folgen wie ein Hund. Schon hören wir, daß sie das Donautal erreicht hat und abwärts zieht, zu uns.

Zweiter Bauer: Da heißt es, sich vorzusehn.

Dritter Bauer: Und darum sind wir hier.

Der Kürnberger (zu Dietlinde): Ward dir schon etwas klarer durch dies Gerede?

Dietlinde (zu den Bauern): Was ist dies für ein Brauch?

Erster Bauer: Notfeuer wollen wir entzünden. Man löscht die Feuer im ganzen Dorf, in jedem Haus; an keiner Feuerstelle darf noch ein Funke glimmen. Dann zieht man vor das Dorf und zündet ein neues, ein reines Feuer an aus trockenen Hölzern, die man reibt. Durch dieses junge Feuer wird nun das Vieh getrieben und bleibt dadurch heil und gesund.

Der Kürnberger: Ihr werdet diesen Unfug und blanken Unsinn . . .

Gotelinde (ohne ihn zu beachten): Da wollt ihr nun von mir . . .?

Erster Bauer: Wir bitten, Ihr möchtet Auftrag geben, daß auch in der Burg die Feuer verlöschen sollen, damit die Mühe nicht umsonst sei und unser Vieh heil und gesund dem Sterben entgehe. Wenn nur ein Funke alten Feuers bleibt, so ist es all umsonst.

Gotelinde: Ekkehard, befiehl dem Küchenmeister, er solle augenblicks das Feuer verlöschen lassen, wo nur ein Funke glimmt, mit Sorgfalt sehen, daß er ersticke.

Erster Bauer (küßt Gotelindes Gewandsaum): Wir danken, Herrin. Und bringen dir dann einen Brand von unserm neuen Feuer. (Die Bauern ab mit Ekkehard.)

Der Kürnberger: Daß Ihr dem Volk in seinen törichten Gebräuchen nicht widerstreitet, Gotelinde!

Gotelinde: Schon wieder rasch und allzuhitzig. Kein Gebrauch ist töricht. Laßt sie bei dem, was ihnen das Herkommen heilig gemacht hat. So denkt Herr Rüdeger von diesen Dingen; und wenn du ihm gefallen willst, so denk ihm nach, ob er nicht recht hat, am guten Alten festzuhalten.

Der Kürnberger: Was bleibt mir übrig, als Herrn Rüdeger gefallen zu wollen . . . . er gibt mir Nahrung und Wohnung und wird mir auch vielleicht einmal zu meinem Rechte verhelfen gegen meinen Ohm. Da muß ich ihm gefallen wollen

Dietlinde: Nicht so bitter, lieber Bruder. Der Vater hat noch niemals mit einem Wort daran gerührt. Schweig du davon, wie er, und dem Schweigen wird alle Bitterkeit vergehn.

Der Kürnberger: Zehn Jahre schon, weißt du's, Dietlinde! . . . Du warst so klein, so klein, als ich auf diese Burg kam. Ich selbst war nicht viel größer. Zehn Jahre schon bin ich euch hier zur Last.

Gotelinde: Wir lieben dich, obzwar du uns nur ganz entfernt verwandt, wie unsern eignen Sohn. Doch eben, weil wir dich lieben, mußt du ertragen, daß wir rügen, was uns an deinem Wesen nicht gefällt.

Der Kürnberger (rasch zu ihr. Er faßt ihre Hand und küßt sie): Rügt und schleift an mir. Verweist mir meine Fehler, ich werde nie aufhören, Euch dankbar zu sein.

Ekkehard (kommt über die Hoftreppe).

Ekkehard: Herrin, schon kommen sie. Vom Fenster werdet Ihr sie sehn. Kriemhilde sitzt auf einem Rappen und reitet zur Rechten unsres Herrn.

Gotelinde: Ich will ihnen vom Fenster winken. (Geht in den Erker und winkt mit einem Tuche aus dem Fenster.)

Dietlinde (zum Kürnberger): Hast du nicht Lust den Gast dir anzusehn?

Der Kürnberger: Ich seh' ihn wohl noch zeitig genug!

Dietlinde: Es scheint als freutest du dich nicht sonderlich des lauten Lebens, das unsere Burg erwartet.

Der Kürnberger: Weil dieses laute Leben dich mir nimmt. Am liebsten ist es mir, wenn nichts geschieht,

Strobl, Die Nibelungen an der Donau.　　2

wenn alle Tage gleichmäßig, einer wie der andere, ein=
ander folgen — — dann hab' ich dich am meisten.

Dietlinde: Mich freut's, wenn es in diesen alten
Mauern laut wird. Selten genug geschieht's. Und nun,
bedenk: Kriemhilde kommt!

Der Kürnberger (verdrossen): Nun ja — Kriemhilde!

Dietlinde: Kriemhilde, die ein Schicksal trägt, das
so ungeheuer ist, daß man nur flüsternd davon sprechen
sollte. Kriemhilde, deren Name noch in fernsten Zeiten
dem Gedächtnis der Menschen nicht entschwunden sein
wird. Kriemhilde, der man den Gemahl erschlug, den
Helden wie man keinen noch gekannt. Kriemhilde, die
Etzel sich vermählen und die Krone der Heunen tragen wird.

Der Kürnberger: Kriemhilde, Kriemhilde . . .
was ist sie weiter als ein Weib wie alle Weiber . . . wie
die meisten? Sie weint und weint um den Gemahl. Ah!
griffe sie zum Schwert und rächte ihn an seinem Mörder,
das wäre eine Tat, die es verdiente aufbewahrt zu werden.

Dietlinde: Ihr Unglück macht sie heilig und du
sprichst von ihr, als wär' sie unsres Torwarts Frau.

Der Kürnberger: Ich weiß es nicht, warum ich
dieses Weib so grimmig hasse. Sie hat mir nichts getan.
Jedoch es ist schon einmal so und wehre dich dagegen:
dieser Mensch gefällt dir und jenem gehst du aus dem
Wege, weil du ihn nicht ansehn magst. Schon Kriem=
hilds Name bringt mich auf. Kennst du das nicht?

Dietlinde: Ich wüßte niemand, den ich hasse.

Zweiter Vorgang.

(Kriemhilde von Rüdeger geleitet über die Hoftreppe. Ihr
Gefolge besteht aus Frauen und einigen Gewaffneten.)

Rüdeger: Hier bring' ich unsere Königin! Was
Ihr hier ringsum sehet, Frau Kriemhild, alles ist Euer.

Gotelinde (die dem Gaſt entgegengegangen): Nehmt an Eures Reiches Grenzen den erſten Gruß von Eurer Dienerin; und ſeid uns eine gnädige Königin.

Kriemhilde: Noch bin ich's nicht. Doch würde es mir leichter, die Krone dieſes Reichs zu tragen, wüßt ich mehr ſolcher Menſchen um mich wie Ihr, Herr Rüdeger und Ihr, Frau Gotelinde.

Gotelinde: Wir wollen gern Euch immer nahe ſein, ſo oft Ihr es nur wünſcht.

Kriemhilde: Ja nahe (faßt Gotelindes Hand), recht nahe, ich bitt' Euch d'rum. Und gebt mir von Eurer Wärme. (Geheimnisvoll.) Denn ich muß Euch ſagen, mich friert bei Tag und Nacht. Mich friert ſo furchtbar.

Gotelinde: Jetzt in dieſen Sommertagen, wo alles vor Hitze glüht und zittert.

Kriemhilde: Ich trage einen kalten Stein in mir, wo vordem Licht und Wärme war. In einer Nacht iſt dieſer Stein gefallen und erſchlug das Glück. Ich fühl' ihn hier und hier (auf Kopf und Bruſt deutend), und Kälte bringt von ihm in meine Glieder, und ſeine ſcharfen Kanten zerreißen mein Inneres.

Der Kürnberger (halb für ſich): Geſchwätz!

Rüdeger (wendet ſich um): Hartwig und Dietlinde, kommt herbei. Dies ſind meine Kinder, Frau Kriemhilde. Ein zahmes und ein wildes Füllen. Das zahme nenn' ich mein durch die Geburt, das wilde lief mir zu von ungefähr.

Der Kürnberger: Ein armer Erbe, Frau Königin, den ſein Ohm um ſeine Rechte und Güter gebracht hat, den man in dieſer Burg aus Gnade und Barmherzig- keit . . .

Rüdeger: Hartwig!

Der Kürnberger: Nun ja, da Ihr mich immer d'ran erinnert, warum nicht g'rad heraus alles geſagt.

Dietlinde (bittend): Hartwig!

2*

Kriemhilde: Wie Ihr versteht zu bitten. Ich wollte Euch an mein Lager holen lassen, wenn ich sterbe, um Gott zu bitten, daß er mir verzeih'; und aller meiner Sünden würd' ich ledig auf Euer Bitten — gäb's einen Gott, der das vernimmt, was man hier unten stammelt! (Pause.) Kommt her zu mir!

Dietlinde (beugt ein Knie): Frau Königin!

Gotelinde: Sie verehrt Euch sehr; Ihr wißt, wer Ehrfurcht hat, hat Scheu.

Kriemhilde: Kommt nur, mein Kind, und laßt Euch küssen. (Küßt sie auf die Stirn.) Ich wünsch' Euch Glück im Leben, recht viel Glück. Von einer Frau, die selbst ein Unglück traf, dem keines in der Welt vergleich= bar ist, gilt wohl der Wunsch. — Und Ihr, mein wildes Füllen, gleicht Eure Art ein wenig der Art Dietlindes an, daß Rüdeger an seiner Zucht noch recht viel Freud' erlebe.

Der Kürnberger: Frau Kriemhilde, Ihr sagtet vorhin selbst, daß Ihr noch nicht die Königin der Heunen seid. Nun habt Ihr es vergessen und versucht schon jetzt in dieser Burg Gebieterin zu spielen.

Rüdeger: Verzeiht ihm, edle Frau, er ist besessen. Es scheint manchmal, als rase er und fasse jedes Wort wie einen Speer, um ihn zurückzuwerfen.

Kriemhilde: Ich habe mich gewöhnen müssen, gespitzte und gereizte Worte zu ertragen. Man hat mir allzu Arges angetan, daß mich ein Ärgeres treffen könnte.

Rüdeger: Schäme dich, der Schmerz hat diese Frau geweiht, und du beleidigst sie.

Der Kürnberger: O, diese Sanftmut und Er= gebenheit. Wer wirklich großen unverdienten Schmerz erlitten, wird zornig rasend und entbrannt zur Rache. Doch wer sich in Demut duckt und seinen Schmerz geduldig trägt, der hat ihn sicher verdient.

Gotelinde: Bist du ein Christ? Denk an den Heiland!

(Ein Hornruf vom Turme.)

Rüdeger: Der König naht heran. Glaubst du, Herr Etzel hätte Kriemhilde sich erkoren zur Gefährtin seines Throns und hätt' mich ausgesandt nach Worms, dächt er wie du?

Der Kürnberger: Was weiß der König Etzel von Kriemhilde? Was kennt er von ihr als ihren Ruf? Ich hab' vor ihm voraus, daß ich sie sehe, und kann Euch also sagen, ich seh's auf ihrem Antlitz, sie leidet nicht unverdient.

Rüdeger: Du bist toll! Du bist von Niedertracht und Bosheit voll wie eine Otter. Du schmähst den Gast im Hause, das kaum ihn aufgenommen hat. Mein Gast ist heilig; du besudelst mein Heiligtum, den Herd des Hauses, das auch dich beschützt. Das ist ein Frevel, der zum Himmel schreit. Und doppelt wird der Frevel, weil der Gast die Krone des Schmerzes trägt.

Der Kürnberger (außer sich): Da, auf dieser Stelle standen Bauern und schwatzten von einer Seuche, die im Gefolge Kriemhildes herankommt. Ich lachte sie aus. Doch scheint's mir nun, die Kerle haben recht. Wo Kriemhilde ist, da nistet sich die Seuche des Zwistes ein, da wächst das Mißtrauen wie gift'ge Pilze und sinkt die Eintracht hin . . .

Rüdeger: Genug! Zuviel! Du vergißt, daß ich nicht nur dein Vater bin, nein, auch der Richter über Burg und Land. Ich schwor es in Herrn Etzels Hand, jedweden Frevel zu bestrafen und keinen Unterschied zu kennen, ob der Verbrecher fremd ist oder mir verwandt.

Kriemhilde: Was wollt Ihr tun, Herr Rüdeger, vergebt ihm!

Rüdeger: Hör meinen Spruch: Im Namen Gottes, des dreieinigen, im Namen König Etzels, ich lege den Bann

23

auf dich. Du sollst dich stehenden Fußes aus der Halle wenden, du sollst die Burg verlassen und immer weiter gehen, ohne umzuschauen. Die Donau soll in deinem Rücken bleiben, und immer weiter sollst du ziehen, bis du aus dem Bereiche dieses Stroms gekommen bist. Und wenn du einem letzten, feinsten Bach begegnest, der noch mit seinem Wasser der Donau dient, so grüße ihn, neig dich zur Erde und schöpfe eine Hand und geh davon. Und jeder Trunk und jedes Rauschen soll dich an deine Frevelat gemahnen. An fremden Strömen suche die Vergebung und kehre nie mehr zurück.

Gotelinde: Rüdeger!

Rüdeger: Wag' es nicht, für ihn zu sprechen!

Kriemhilde: Darf auch ich's nicht wagen, für ihn zu sprechen? Dem König ist es vorbehalten, die Gnade auszuüben. Er teilt dies Recht mit seiner Königin. Und nun —— und nun beruf' ich mich darauf, daß ich die Krone der Hennen tragen soll und bitte: Gnade.

Rüdeger: Er verdient sie nicht. Seht, wie er trotzig abseits steht.

Kriemhilde: Die Gnade wird nicht verdient. Sie wird geschenkt. Und wollt Ihr ihm nicht ganz vergeben, so mildert seine Strafe.

Rüdeger: Dank dieser edlen Frau, du Frevler, die sich als Fürsprecherin dir neigt. So setz' ich deine Strafe herab auf sieben Jahre. Auf sieben Jahre ziehe hin. Und kehrst du nach dieser Zeit geläutert heim, so öffnet Rüdeger dir wieder Herz und Haus.

Der Kürnberger (macht einen Schritt auf ihn zu).

Rüdeger: Geh! Und geh sogleich; kein Wort mehr.

Der Kürnberger (reicht Dietlinde, die erschrocken zur Seite stand, die Hand, küßt die Hand Gotelindes, neigt sich kurz vor Kriemhilde und geht).

Kriemhilde: So muß ich überall nur Leid verbreiten? Wie sagte er . . . . . . die Seuche des Zwistes im Gefolg'?

(Trompeten im Hof.)

Rüdeger: Der König! *(Er geht an die Treppe.)*

Kriemhilde: Mir ist so bang. Eure Hand, Frau Gotelinde, Eure Hand, Dietlinde!

Dritter Vorgang.

Ekel, Dietrich von Bern, Blödel, Hildebrand, Werbel, Schwemmel, Fürsten der Heunen (über die Hoftreppe).

Ekel *(faßt nach Dietrichs Hand):* Das ist sie, das!

Rüdeger *(nimmt Kriemhilde und Ekel an der Hand):* So tret' ich in die Mitte und reich' nach beiden Seiten meine Hände. Vergebt, mein König, daß ich Euch nicht entgegenkam, doch bin ich nun Kriemhildes Begleiter und habe die Pflicht, mit meiner Herrin Euch zu erwarten. Von ihren Magen bring' ich Euch das Ja, Ihr eigenes wird sie selbst Euch geben. *(Er legt ihre Hände ineinander.)*

Ekel: Wollt Ihr, Frau Kriemhilde, den Thron, der nach Frau Helches Tod mir einsam ist, mit Eurer Sonnenschönheit mir vergolden?

Kriemhilde: Ja!

Ekel *(küßt sie auf die Stirn):* So küss' ich diese Stirne, die bald die Krone der Heunen trägt.

Blödel *(zu Werbel):* Sprich mir ein wenig von Gelag und Jagd, mein Werbel, daß ich nicht vor ihr vergehe.

Werbel: So gefällt sie Euch!

Blödel: Wär's nicht des Bruders Weib, mit meinem guten Speer macht ich sie rasch zum zweitenmal zur Witwe.

Dietrich (zu Hildebrand): Sieh ihre Hand, wie schlaff und schlimm sie in des Königs Händen liegt.

Hildebrand: Wie eine blasse Braut im blutigen Bett!

Etzel: Ich habe mich nach Euch verzehrt, seit mir zum erstenmal der Name Kriemhilde genannt ward.

Kriemhilde: Ihr hattet eine hehre Königin, Frau Helche.

Etzel: Doch Helche starb. Sie war an Tugend reich und hat mir viel verziehen. Die Heunen segnen ihr Gedenken, und noch lebt sie in ihren Werken unter uns. Doch glaub' ich fast, sie hat mich nur gezähmt, um Euch, Frau Kriemhilde, würdig zu empfangen. Mein ganzes Leben hebt sich aus Mord und Flammen Euch entgegen. Es war etwas in mir, dem wußt ich keinen Namen. Nun weiß ich ihn, es war der Wunsch nach Euch.

Kriemhilde: Ich danke Euch!

Etzel: Werft einen Blick auf meinen Heerbann. Er soll Euch sagen, wie ich Euch ehre. Wir ritten durch Österreich, und Staub stieg von allen Straßen, als ob es brennte. Hier sind die Fürsten, die mir dienen: zu keinem Kriegszug hab' ich sie all' zugleich entboten. Euch zu Ehren geschah's. Ich bitte Euch, begrüßt sie mir. Hier diese Zwölf erwarten Euren Kuß.

(Zwölf Fürsten treten vor, unter ihnen Dietrich von Bern, Blödel, die Herzöge Iring und Thüring und andere.)

Kriemhilde: Gerne gescheh's, Euch zu Gefallen.

Etzel: Zuerst Herrn Dietrich von Bern. Er steht mir vor dem Bruder.

Kriemhilde: Als ich von Euch die Sänger sagen hörte zu Worms am grünen Rhein, da ahnt' ich nicht, daß ich dereinst den Mund Euch bieten würde zum Willkommen.

Etzel: Dann Blödel, meinen Bruder.

Kriemhilde: Auch Euch, Herr Blödel, meinen Gruß. (Sie küßt ihn und dann die anderen der Reihe nach.)

Blödel (abseits zu Werbel): Versiegle mir die Lippen, daß sie ferner kein Wort entweihe, das dieses Kusses unwürdig ist.

Werbel: Wollt Ihr denn Hungers sterben, Herr?

Blödel: Wär's nicht ein schöner Tod und würdig, ein Lied darauf zu machen?

Dietrich (zu Hildebrand): So schön sie ist, ... ihr Kuß schmeckt wie der Tod.

Hildebrand: Ich dachte mir schon immer, der Tod muß aussehen wie ein Weib.

(Abenddämmerung.)

Rüdeger: Und nun erlaubt, daß sich der Burgherr melde. Ein Mahl steht schon bereit, Euch zu erfrischen. Frau Gotelinde winkt mir, daß es nicht länger warten kann.

Kriemhilde: Ich bitt' Euch, König Etzel und Freund Rüdeger, erlaßt es mir, am Mahle teilzunehmen. Allzusehr hat mich der Ritt erschöpft, und wenn auch Rüdeger bemüht war, mir alles zu bereiten, als ritte ich in der Burgunden Land von einer Burg zur andern, so bleibt doch noch genug an Mühen, um ein Weib recht müd' zu machen.

Etzel: So gern wir Euch an unsrer Tafel sähen, so wollen wir doch nichts von Euch erzwingen. Und dies sei Euch vor diesen Zeugen hier beteuert: der Zwang sei ausgeschlossen zwischen mir und Euch. Frei sollt Ihr gehen und kommen, und wenn Ihr Euch nicht selbst des Gatten erinnert, er wird's nicht wagen, Euch zu mahnen.

Kriemhilde (einen Schritt auf Etzel zu): Ganz anders dacht' ich Euch, Herr König. Als einen Heiden, recht struppig und verwildert.

Etzel: Und nahmt mich doch?

Kriemhilde: Weil ich es nicht verstand, daß einer um mich warb. Aus Neugier halb ... und halb aus Dankbarkeit ... Nun seh' ich es: Ihr seid ein Held, so tapfer und so ehrerbietig vor Frauen als einer, der sich Christ nennt.

Etzel (reicht ihr die Hand): Laßt mich dies Wort bewahren. Ich riß einst Throne um und Kronen fort, mitsamt den Köpfen, die die umzirkten. Das war mir höchste Majestät und Lust der Welt, mit einem Winke Städte, Länder, Reiche zu zerstören und zu begnadigen. Doch nie fühlt' ich mich königlicher, wundersamer, reicher als nun, in diesem Augenblick, da mir Frau Kriemhild sagt, ich sei ein Held. — — Wir wollen gehen.

(Alle ab, nur Werbel und Schwemmel bleiben zurück. Tiefe Dämmerung.)

Werbel: Hm!

Schwemmel: Was stehst du, hast du denn noch keinen Durst? Man sagte mir daheim, daß in den Kellern der Burg zu Bechelâren das Allerbeste und Trinkbarste an Weinen liege, das längs der ganzen Donau wächst.

Werbel: Hm!

Schwemmel: Ich renn' dich über'n Haufen, wenn du noch lange stehst und hmst! In einer Stadt — ich weiß es nicht mehr wo, doch war es eine große, schöne Stadt, wir nahmen sie nach ein'gem Widerstand, und da es schon genug an Toten gab, so kam es uns auf ein'ge mehr nicht an. König Etzel hob die Hand, als wir ihn fragten, und nickte uns Gewährung. Wir ergossen uns in die Straßen, in die Häuser und nahmen, was uns gefiel, und das übrige verschlang der Brand.

Werbel: Hm!

Schwemmel: Was wollt' ich dir erzählen? ... Ja dies! ... Mit einigen Brüdern schlug ich ein Tor ein und betrat ein Haus, das sich recht seltsam unterschied von allen andern. Kein Jammern und kein Klagen wie überall. Still lag es da. Ein Garten, in dem ein Brunnen plätscherte und mitten drinn ein Greis, der ganz versunken stand, als gäb' es keine Heunen auf der Welt. Mit seinem Stock zog er Figuren und Kreise in den Sand und stand und stand. Ich schrie ihn an, er sah nicht auf, ich schrie noch einmal und dicht vor ihm .. da blickte er mich mit Augen an, die nichts sahen von dem, was doch zu sehn war von Schwertern und geschwungenen Beilen. Er sagte hm! und zog darauf noch eine Linie in den Sand. Und sagte wieder nichts als hm! Da ward ich zornig und rannt' ihm meine Lanze in den Leib, daß das Blut die Linien im Sand verschwemmte. So stehst du da; und gibst du mir den Weg zum Wein nicht frei, so geht's dir wie dem Alten in jener Stadt.

Werbel: Wart' noch ein wenig. Dem Spielmann ziemt's, auf alles seinen Vers zu machen.

Schwemmel: Ich mache keine Verse ohne Wein!

Werbel: Was denkst du über unsere Königin?

Schwemmel: Ich denke, daß sie schön ist, viel schöner noch als Helche.

Werbel: Du siehst nach Torenart nichts als die Larve. Denkst du, daß sie auch sonst Frau Helche überstrahlt?

Schwemmel: Was weiß denn ich?

Werbel: Ich mein' an Tugenden: an Sanftmut, Milde, Gutherzigkeit und frommem Sinn?

Schwemmel: Ich hab' mich nicht danach gefragt. Frau Helche hat mich nicht geliebt; es ist mir gleich, ob mich Frau Kriemhild lieben wird.

Werbel: Es will mir scheinen, sie verbirgt etwas. Zu Schweres hat die Frau erlebt, als daß es so aus ihrem Herzen entschwunden ist, wie sie uns glauben machen will.

Schwemmel: Nun sie Herrn Etzel als Gattin folgt, bricht sie ihr altes Leben ab und beginnt ein neues. Etzel ist nicht der Mann, der sich mit einem toten Gatten plagt.

Werbel: Du hörtest doch, er sagte: keinen Zwang! Das nahm sie auf und dankte ihm.

Schwemmel: Zu lange hat dein Schwert schon nichts getan. Du wirst ein Grübler, Freund. Nimm Urlaub und reit auf Abenteuer, damit dir wieder hell im Kopfe wird. Ich reit' mit dir.

Werbel: Die Frau hat einen Plan. Sie hätt' sich sonst mit Etzel nicht vermählt.

Schwemmel: Was geht's dich an, warum sie sich vermählt?

Werbel: Still, ich glaube, jemand kommt. (An der Türe links hinten.) Kriemhilde ist's, komm fort!

Schwemmel: So dank' ich ihr, daß sie den Weg zum Wein mir frei macht. (Beide links durch die Seitentür ab.)

Vierter Vorgang.

Kriemhilde und Dietlinde von links hinten. (Kriemhilde im Nachtgewand. Ein jager Schein von Mondlicht.)

Kriemhilde: Ich danke Euch, daß Ihr zu mir in meine Kammer fandet.

Dietlinde: Als Euch die Helden alle umstanden, da dacht' ich an ein gar schönes Lied, das anhebt: „So wie der Mond aus schweren Wolken geht."

Kriemhilde: So hab' ich einen Schein für Euch?

Dietlinde: Ach, so viel Schein, daß ich geblendet bin! Drum war ich anfangs so verzagt, daß mir die Worte stockten. Doch sah ich Eure Milde . . .

Kriemhilde: Ja, diese Milde ist mein Schein.

Dietlinde: Ich versteh' Euch nicht.

Kriemhilde: Es gibt gar viel, das man mit siebzehn Jahren nicht versteht. Doch sprecht, mein liebes Kind;
mir ist, als hörte ich mich selbst mit einer Stimme, die
mir seit vielen Jahren fremd ist.

Dietlinde: Und im Vertrauen auf Eure Milde
fand ich zu Euch. Wie soll ich sagen, daß es mir war,
als Ihr mich nicht verlachtet. Kommt hierher, hier ist
mein Lieblingsplatz. (Sie geht mit Kriemhilde zum Altan.)
Man sieht von hier die Burg, den Wald, das Dorf, das
seine Felder um sich legt; den Strom, der nun mit seinem
Silber dem Ruf des Mondes dankt . . .

Kriemhilde (steht an der Brüstung in hellem Monden-
schein): Wie schön ist's hier. Die Wälder raunen nichts
von einem Mord. Der Strom bedeckt hier keinen blut-
befleckten Schatz; und seine Wellen haben keine Stimmen,
so wie der Rhein, der nachts mit Klagen an Mauern
schlägt, in denen der Verrat zu Hause ist.

Dietlinde: Ich kenn' nichts andres als unsere
Donau. Doch der Vater, der weit umherkam, sagt: kein
Strom gleicht ihr an Herrlichkeit und Anmut. Mir
selbst ist's so, als müßte ich, wenn jemals mich das
Schicksal von hier nimmt, mit Sehnen mich nach ihr
verzehren. Seht die dunkeln Hügel, sie ruhen wie ein
Wall um ihre Schönheit; an ihren Hängen reift die
Traube; und morgens . . . morgens, wenn der Dunst vom
Strom sich hebt und eine wunderbare Sonne in seine
Netze fängt, dann möcht' ich — lacht nicht — muß ich
manchmal weinen vor Glück. Und Menschen wohnen hier,
so treu wie Gold.

Kriemhilde: So treu wie Gold!!! Und warum
hier und warum nicht am Rhein?

Dietlinde: Man sagt, wer einmal aus dem Strome
trank, der ist verzaubert für alle Zeiten. Der Trank hat
ihm sein Blut mit süßem Gift erfüllt; und dieses Gift
quillt auf in Unruh', rast durch seine Nächte und macht

ihn trank an Heimweh, wenn er den Strom nicht sieht. (Stockt in plötzlichem Erinnern und sieht weg.)

Kriemhilde: So dauert Euch der Jugendfreund?

Dietlinde: Sieben schlimme Jahre stehen ihm bevor. Er dauert mich, es wird mir schwer sein, ihn zu missen. Und doch, und doch . . . der Vater tat recht daran, denn er hat Euch gekränkt.

Kriemhilde: Das Unheil ist mein Schatten. Einst war es anders. Da sagte man: hier kommt Kriemhilde . . . als spräche man: hier kommt das Glück.

Dietlinde: Es ist noch jetzt nicht anders. Eure Traurigkeit macht traurig. Doch diese Trauer ist so groß, daß zu der Liebe noch Bewunderung kommt.

Kriemhilde: Das ist mein Stolz. Mein Schicksal ist so groß, ich stand so hoch, daß selbst mein Sturz noch herrlich ist. Denkt, denkt Euch aus: der wunderbarste Held auf dieser Welt war mein Gemahl. Er saß bei mir, wie Ihr jetzt bei mir sitzt. Und seine Hand lag in der meinen, wie Eure in der meinen liegt. Und alles das ist hin, durch meine Schuld — — durch meine Schuld? (Starrt.) Nein, nicht durch meine Schuld! In dieser Welt ist keine Schuld, die es erlaubte, ihn zu fällen. — Durch Verrat!

Dietlinde: Herr Siegfried ward erschlagen?

Kriemhilde: Ja, erschlagen, wie ein Hund, ein armer Schächer, den Räuber im Tann erschlagen. Von Hagen! Und mein Bruder stand dabei und wehrte dem Mörder nicht!

Dietlinde: Es war um Brunhild, Eures Bruders Weib?

Kriemhilde: Er ritt auf unsere Burg zu Worms und war so herrlich wie ein Frühlingsmorgen. Ich weiß nicht, wie es kam: wir hatten uns einander zugelobt, noch ehe wir ein Wort gesprochen. Vom Bruder forderte er

meine Hand, wenn er als Gattin ihm erwerbe Brun=
hilde, die schöne und grimme Königin von Isenland.

Dietlinde: Und er erwarb sie ihm?

Kriemhilde: Trotz ihrer wilden Kraft durch seine
Stärke, indem er sie unsichtbar in der Nebelkappe über=
wand. Wir wurden beide an einem Tag vermählt, ich
und Brunhilde. Ich wurde — noch jetzt erbebe ich —
ich wurde Siegfrieds Weib. Doch Brunhilde scheuchte
in der Brautnacht ihren Gatten und band ihn und hing
ihn schmachvoll bis zum Morgen an einen Nagel. Und
da er sich des wilden Weibes nicht erwehren konnte, trug
er seine Schande vor Siegfried und bat um seine Hilfe.
Herr Siegfried lächelte und zähmte sie unsichtbar, daß sie
des Bruders Weib ward mit ihrem grimmen Leib. Doch
einen Gürtel nahm er ihr und gab ihn mir.

Dietlinde: Man sagt, daß dies der Anfang alles
Unheils war!

Kriemhilde: Dann kam ein Morgen, an dem wir
beide in die Kirche gingen. Sie höhnte mich in ihrem
Stolz, der maßlos war wie vordem ihre Kraft. Vor mir
das Münster zu betreten, begehrte sie als königliches Recht.
Mein Gatte sei geringer als der ihre und so ward ich
von ihrem Hohn gereizt, bis ich ihr ins Gesicht warf,
daß nicht Gunther, mein Bruder, daß sie Siegfried, mein
Gatte, zweimal überwunden. Und als Beweis zeigt' ich
den Gürtel, den mir mein Gemahl als Liebespfand ge=
bracht. Nun sann Brunhild auf Rache. Und Hagen,
der Herrn Siegfried haßte, so wie das Dunkel haßt das
Licht, die Nacht den Tag, versprach ihr Siegfrieds Tod.

Dietlinde: Doch Siegfried war ja von einem
Bad im Drachenblut am ganzen Leibe hürnen und un=
verletzlich?

Kriemhilde: Eine Stelle gab's in seinem Rücken
zwischen beiden Schultern, wo er verletzlich war. Dort
haftete ein Lindenblatt, als er im Blute des Drachen

babete. Durch Liſt entwand mir Hagen das Geheimnis
und ich ſelbſt, ich ſelbſt bezeichnete an ſeinem Kleib die
Stelle mit einem Kreuz. Sie zogen in den Wald. An
einem Brunnen im Odenwald geſchah's, als Siegfried ſich
zum Trunke niederbeugte. Mit ſeinem Speer traf Hagen
Kreuz und Stelle. Wie ein Wild ward Siegfried da
gefällt und wie ein Wild auf einer Bahre ward er mir
gebracht. Durch grüne Tannenzweige ſickerte ſein Blut,
und jeder Tropfen klang wie rotes Gold auf dem Stein
der Halle. Klang . . wie . . ro . . tes Gold. (Furchtbar.)
Und jeder Tropfen hatte eine Stimme und ſchrie mir zu
und ſchrie mir zu, bis daß ich ganz von wildem Schreien
erfüllt war: Räche mich! (Laut und gellend.) Ah!

Dietlinde (ängſtlich): Mir iſt ſo bang. Wie fürchterlich, was Ihr erlebt habt!

Kriemhilde: Helf Gott, wie fürchterlich! Ihr
ſpracht die Wahrheit. Vergleichet Euer Leben mit dem
meinen. Der Schmerz, der Eurer Jugend Unbehagen
ſchuf, iſt insgeſamt nur wie ein Maulwurfshügel vor
dieſem Berg von Qual, mit dem die eine Nacht, die einzige
Nacht mein Glück begrub. Das trennt mich von den
Menſchen. Keiner reicht an mich heran mit allem Leid,
ſoviel er deſſen auftürmen mag. Und wenn der Vorwitz
herankommt und mit gebogenem Finger an den Felſen
klopft, der mich verſchließt, ſo ſprühen ihm Funken daraus
entgegen.

Dietlinde: Vorwitzig bin ich nicht. Ich fragte und
drängte mich zu Euch, weil . . .

Kriemhilde: Ich weiß mein Kind. (Streicht ihr
über das Haar.) Sieh, Frauen, die ſo gelitten haben wie
ich, die ſo viel beſaßen, um ſo viel zu verlieren, ſind kein
Umgang für junge Mädchen, die ringsum Frühling ſehen.
Fliehe mich, geh fort, geh fort!

Dietlinde (umfängt Kriemhildes Kniee): Nun ſchmieg'
ich mich nur deſto enger an.

Kriemhilde: Einst war ich so wie du. Einst träumte ich von einem Falken, der flog hoch in der Luft ... Ach, alte Träume! Zerrissen und zerfleischt lag er vor mir. Und daß ich ganz gebunden wäre und nirgendwo die Rächer werben könnte, nahmen sie den Schatz der Nibelungen mir fort. In heißem Kampfe gegen Zwerge gewann ihn Siegfried. Ungeheuer war seine Größe, und durch einen Ring, der jeden Mond neun neue Ringe abwarf, vermehrte er sich selbst. Der Schatz war mein, war das Vermächtnis des Gemahls. Sie raubten ihn, versenkten ihn im Rhein und niemand weiß nun, wo er liegt, als Hagen und als Gunther.

Dietlinde: Und Gunther hat Euch nicht verraten, wo er versunken ist?

Kriemhilde: Trotz meines Flehens blieb er stumm. Er fürchtet Hagen. Vor dessen Blick erbebt der König der Burgunden. So trat der Mörder vor mich hin: „Ihr erlaubt, vieledle Frau, daß wir, die nun den Hort der Nibelungen erbten, uns nach dem Recht des Erbgangs nun selber Nibelungen nennen.“ Und seitdem nennen sie sich so. Und Gunther stand dabei und hörte Hagens Hohn — — und schwieg.

Dietlinde: Doch Eure andern Brüder?

Kriemhilde: Gernot, der wußte wohl um Hagens Plan, doch schwieg er. Er blieb dem Morde fern, doch sagte er mir nichts, ging aus der Burg und ließ geschehen was wolle. Nur Giselher, der wußte nichts. Er ist unschuldig an dem Blute Siegfrieds.

Dietlinde: Das ist der jüngste Eurer Brüder?

Kriemhilde: Und ist der herrlichste von ihnen. O, daß nicht i h n die Mutter zuerst gebar! Da lebte Siegfried noch. Den Schoß, den ich verfluchen müßte, den muß ich segnen um ihn.

Dietlinde: Ihr liebt ihn?

Strobl, Die Nibelungen an der Donau.　　　　3

Kriemhilde: Ich muß ihn lieben. Seine Art ist sonnig und heiter wie ein Frühlingstag. Und jeder muß ihn lieben, der ihn sieht. Die Frauen, die sonst den Blick zur Erde heften, schauen auf, geht Giselher vorbei. Sie schauen auf und sehn ihm nach und wünschen, säh' er sich um! Doch er weiß kaum, ob eine Frau ihm wohlgesinnt ist, er sieht keine an und wär' sie noch so schön.

Dietlinde: Warum? Wagt er es nicht?

Kriemhilde: Ich fragte ihn einmal: „Lieb' Brüderlein, gedenkst du nicht dich zu vermählen?" Doch er lachte: „Das kommt mir noch nicht in den Sinn. Ich warte." Und als ich fragte, wen erwartest du, da lachte er zum zweitenmal und sagte: „Die mir bestimmt ist."

Dietlinde: Ihr werdet fröhlicher, sprecht Ihr von ihm.

Kriemhilde: Er allein versuchte mich in meinem Leid zu trösten. Es war umsonst, doch rührte mich schon der Versuch.

(Hornstoß.)

Wächter (unten im Burghof):

Geht all' zur Ruh',
Geht all' zur Ruh'!
Wie bald der neue Tag beginnt.
Die Zeit verrinnt.
Gott geb' Euch Ruh',
Daß für den Tag
Ihr Kraft und Mut gewinnt.

Dietlinde: Schon so spät?

Kriemhilde: Geht all' zur Ruh'! Das gilt für alle, nur nicht für mich. Doch will ich gehen. Geh auch du, mein Kind, und trachte Kind zu bleiben, denn wirst du Weib, so ist der Schmerz dem höchsten Glück nicht fern. Und hüt' dich vor der Liebe, weil sie nur immer Leiden am letzten Ende bringt. (Küßt Dietlinde und geht links hinten ab.)

Fünfter Vorgang.

(Voller Mondschein. Dietlinde sinnend an der Brüstung des Altans. Draußen ein Wachtelruf.)

Dietlinde (beugt sich über die Brüstung): Was ist dies? Ist Hartwig hier?

Der Kürnberger (vorsichtig über die Hoftreppe): Dietlinde!

Dietlinde (fährt zusammen): Wie hast du mich erschreckt!

Der Kürnberger: Ist sie endlich fort?

Dietlinde: Du bist noch hier?

Der Kürnberger (kommt ins Mondlicht und umschlingt Dietlinde): Glaubst du, ich könnte fortgehen, ohne dich noch einmal zu sprechen und zu sehen?

Dietlinde: Der Vater hat geboten, sogleich zu gehen und nicht mehr umzusehen.

Der Kürnberger: So bist du also bloß Tochter Rüdegers und nicht mehr Hartwigs Freundin? Ist es dir wichtiger zu wissen, daß ich dem Vater gehorsam sei, als daß ich ungehorsam sei, um die Geliebte noch einmal zu küssen.

Dietlinde: Freundin, ja, Hartwig, deine Freundin! Doch Geliebte?

Der Kürnberger: So hat der eine Tag und diese Frau denn alles in dir ausgelöscht? Geliebte! Dich so zu nennen, gabst du mir selbst das Recht. Was sprachst du mit Kriemhilde, das dich alles vergessen ließ?

Dietlinde: Von ihrem großen Leid erzählte sie. (Faßt seine Hand.) Hartwig, von einem Leid, wie es noch

3 *

nie erhört ward. Von Hagen, von Gunther und von Giselher.

Der Kürnberger: Von diesem hört ich niemals. Wer ist's?

Dietlinde: Der jüngste, sonnigste und heitere Bruder. Er geht, und alle Frauen sehen nach ihm. Doch er blickt keiner nach, er wartet.

Der Kürnberger: Was geht's dich an? Sind diese fremden Menschen dir näher als der Geliebte, den dein Vater um diese Frau verbannt? Ich soll auf sieben Jahre von dir und du erzählst mir von Frau Kriemhildes Brüdern.

Dietlinde: Der Spruch war hart, doch glaub mir Hartwig, er wird zu deinem Glück. Wir alle lieben dich, doch sehen wir, wie rasch und unbesonnen du bist. Du wirst gerechter werden in der Fremde, und deine Hand wird langsamer und schwerer werden. Du gehst den Weg zum Mann.

Der Kürnberger: So vernünftig! Ich seh's, du bist die Tochter Rübegers, des immer Kalten und immer Besonnenen. Mein Herz erstarrt vor deinen Worten.

Dietlinde: Nein, mein liebster Freund, ich bin dir gut, so gut wie früher. Noch immer so! (Sie küßt ihn.)

Der Kürnberger: Geliebte, von dir gerissen, was werd' ich sein? Ein halber Mensch! Wie kann ein halber Mensch zum ganzen Manne werden?

Dietlinde: Versuch's! Ich seh' in dir den Kern, der wächst sich aus und sprengt die Schale.

Der Kürnberger: Bist du siebzehn Jahre? Du sprichst, als wärst du vierzig! Sieh, da lag ich im Hof und mußte mich im Schatten verstecken. Und die Hunde leckten mir die Hände, als wüßten sie, daß sie mich nicht mehr zur Jagd begleiten. Als sprächen sie ein Lebewohl und könnten sich nicht trennen. Und Dietlinde? Sie küßt mich einmal und beginnt dann wieder zu ermahnen und Ratschläge zu erteilen.

Dietlinde (schweigt, als hätte sie nichts gehört).

Der Kürnberger: Und du bist mein. Denk an den Abend, da wir am Ufer der Donau gingen. Die Wellen glänzten noch im Licht der Abendsonne. Dann kam die Nacht und deine Hand lag in der meinen. Du seufztest. Da zog ich dich an mich und küßte dich . . so . . so . . (küßt sie leidenschaftlich, Dietlinde läßt es geschehen). Und darum nenn' ich dich Geliebte und hab' ein Recht dazu.

Dietlinde: Und sagte: „Das kommt mir noch nicht in den Sinn. Ich warte."

Der Kürnberger: Was sprichst du da?

Dietlinde: Und lachte zum zweitenmal: „Die mir bestimmt ist."

Der Kürnberger: Ich versteh' dich nicht! Sieh mich doch an! Du träumst, du bist so fremd. Ich gehe schon, damit du dein Gewissen nicht beschwerst. Du willst wohl dem Verbannten kein gutes Wort mehr geben. Doch geh' ich nicht von dir, bevor du dich nicht mir gelobt. So halt' ich dich, und gebe dich nicht eher frei.

Dietlinde (erwachend): Laß mich, der Vater muß bald kommen. Noch hat er seinen Rundgang nicht gemacht.

Der Kürnberger: Mag er mich finden. Mag er sehen wie ich dich liebe. Man nennt ihn Rüdeger, den Weisen und Gütigen. Ist er so gütig und so weise, so wird er mir verzeihen.

Dietlinde: Geh, geh!

Der Kürnberger: Auf sieben Jahre bin ich verbannt. Das trag' ich nur, wenn du gelobst, daß du mein Eigen bleibst. Kehr' ich zurück, so sei bereit. Ich nehme dich und halte dich für immer. Und daß du mich inzwischen nicht vergißt, will ich dir Boten senden, meine

Taten. Was ich vollbringe, weiß' ich dir! Und hörst du manchmal von mir: dies tat er oder dies, und spricht man dir bewundernd von einem schweren Stück, das mir gelungen, so denk: dies tat er für mich.

Dietlinde: So will ich deine Boten gut empfangen.

Der Kürnberger: Und laß sie auch vor deinem Vater gehen und ihre Meldung sagen: so einer ist, den du verbanntest.

Dietlinde: Es soll geschehen.

Der Kürnberger: Leb wohl! Leb wohl! (Küßt sie und springt über die Brüstung des Altans in den Hof.)

Dietlinde (sieht ihm nach. Dann horcht sie auf und eilt in die Tür links hinten.)

Sechster Vorgang.

Rüdeger (mit einem Windlicht aus der Seitentür. Er sieht in die Hintertür hinein, geht quer durch die Halle zum Altan und leuchtet hinaus.) He, Wächter, alles still?

Wächter (draußen): Alles still!

Rüdeger: So will ich schlafen gehen.

(Indem er sich zum Gehen wendet kommt Kriemhilde aus der Hintertür.)

Rüdeger: Ihr, Frau Kriemhilde? Ihr wandelt wie ein Geist.

Kriemhilde: Ach, wär' ich nur ein Geist und könnt' um jene Kirche, wo meines Gatten Leichnam liegt, gleichwie die Windsbraut klagend ziehen. Ich wollte die Mörder aus dem Schlafe heulen, ich wollte im Odenwalde lauern, und wenn einer von ihnen die Stätte der Mordes betritt, ihn fassen und mit meinen Haaren erwürgen. Ich wollte mich als Alp in ihre Träume stehlen und sie mit allen Schrecknissen der Hölle quälen.

Rüdeger: Beruhigt Euch, Frau Königin, Ihr bedürft des Schlafes. (Er steckt das Windlicht in eine der Wand= klammern)

Kriemhilde: Ich kann nicht schlafen und ich will es nicht. Es flüstert um mich her in diesem Haus.

Rüdeger: Das Haus ist Euer. Ihr kränkt mich, wenn Ihr sagt, Ihr könnt nicht ruhen.

Kriemhilde: So verbietet ihm die Stimme. Die Steine, dies Getäfel, dies Gebälk, dies alles spricht und warnt mich. Vor wem? Vor was? Wozu? Wozu noch eine Warnung? Jetzt noch! Da es so furchtbar nötig war zu warnen, blieb alles stumm. Nichts regte sich. Ich weiß es noch, wie ich das weiße Kreuz auf Siegfrieds Leibrock nähte. Die Lampe neben mir sah glotzend und gleichgültig zu. Nur die Flamme blaffte manchmal leise. Sonst nichts. Sonst alles stumm. Kein Stein fiel aus der Decke und schlug mich tot, kein Beil kam von der Wand herab und hieb mir die Hand vom Arm, hier diese verfluchte Hand.

Rüdeger: Erlaubt, Frau Kriemhilde, daß ich Euch zu Eurem Schlafgemach geleite. Ihr seid erregt und wütet gegen Euch! . . .

Kriemhilde: Erfüllt mir eine Bitte, Rüdeger: Nehmt Euer Schwert und haut mir meine Hände hier an der Wurzel ab.

Rüdeger: Gott geb' Euch Klarheit und Vernunft. Was fällt Euch ein?

Kriemhilde: Glaubt mir, so viel schon Euer Schwert an großen Werken getan, dies wär' sein bestes Stück. Nicht nur zu schützen, auch zu vergelten habt Ihr gelobt, als man dem Jüngling die Schwertleite gab. Vergeltet! Vergeltet! Vergeltet meinen Frevel an mir selbst.

Rüdeger: Ich erkenn' Euch nicht, Frau Königin.

Kriemhilde: Ihr sagt, ich sei verändert. Die Nacht ist sonderbar verleumdet. Man sagt ihr nach, daß sie verhülle. Nein — lacht den Leuten ins Gesicht, die das einander glauben machen. Sie zeigt die Wahrheit.

Rüdeger: Das ist die Wahrheit nicht. Die wahre Kriemhilde ist die königliche Frau, die einen großen Schmerz gelassen trägt.

Kriemhilde: Glaubt Ihr? Glaubt Ihr vielleicht, die wahre Kriemhilde ist die Witwe, die nun, nachdem das ärgste Leid vorbei, die Werbung des zweiten Gatten willkommen heißt und ihm die Hand reicht, diese Hand ... (besieht ihre rechte Hand, als wäre sie ein frembes Stück). Glaubt Ihr?

Rüdeger: Quält Euch nicht so!

Kriemhilde: Nun, da die Nacht mir alles klar gemacht, versteh' ich mich ja nicht. Die Gattin Siegfrieds soll einem andern Manne folgen? Und ist er auch der König der Heunen, er ist nur Staub vor Siegfrieds Größe! Wie wunderbar! Wer gab Euch das Recht, dem König zu sagen, daß Kriemhilde ihm folgen wolle?

Rüdeger: Ihr habt genug gezweifelt und geschwankt, habt überlegt und zugesagt und Euer Wort zurückgenommen und wieder mich vertröstet. Euer Ja ist wohl erwogen. Hab' ich Euch überrascht, entriß ich Euch das Wort in einer schwachen Stunde?

Kriemhilde (in Gedanken): Es hat nur einen Sinn, nur einen!

Rüdeger: Herr Etzel mag an Glanz Herrn Siegfried nachstehen. Doch glaubt mir, sicher nicht an edler Gesinnung. Wenn einer die Tugend des Edelmutes gemeinsam hat mit Siegfried, so hat sie Etzel gemein.

Kriemhilde (noch immer wie abwesend): Deshalb entschied ich mich! Nun weiß ich's wieder! Es hat ja nur den einen Sinn! (Rasch.) Ich brauche Freunde, Rüdeger, getreue Freunde!

Rüdeger (auf einem Knie vor ihr): Ich bin Euch Freund, Frau Königin. In Worms, als wir noch spät

im Garten miteinander gingen, da hieltet Ihr mich plötzlich
an — muß ich Euch daran erinnern — und spracht: ich
folge Euch als Etzels Frau, doch nur, wenn Ihr gelobt,
mir in Treuen stets zu Dienst zu sein.

Kriemhilde: Vergaß ich das? Ja! — Nein! —
Ja! — Es hat ja nur den einen Sinn, den einen!

Rüdeger: Ich gab Euch darauf mein Wort.

Kriemhilde: Gelobt's noch einmal.

Rüdeger (steht auf): Genügt Euch nicht mein Wort?

Kriemhilde (schon gefaßt): Ich bitte Euch, gelobt's
noch einmal. Ihr seht, daß ich vergeßlich bin. Auch ist
es nur, damit ich schlafen kann. Ich leg' mir das Ge-
löbnis Herrn Rüdegers als Kissen unter meinen Kopf..
(unheimlich) und will dann Träume haben, wunderbare
Träume.

Rüdeger: Nun also, da es wichtig ist, gelob' ich ...

Kriemhilde: Halt, Rüdeger, was liebt Ihr wohl
auf dieser Welt am meisten?

Rüdeger: Mein Weib und Dietlinde, meine
Tochter.

Kriemhilde: So schwört mir bei dem Haupte
Eures Kindes, Ihr wollt zur Stelle sein, wenn ich Euch
rufe. Wollt ohne Zögern tun, was ich von Euch begehre,
und sei es noch so schwer.

Rüdeger: Zur Stelle will ich sein und tun, was
Ihr begehrt.

Kriemhilde: Beim Haupte Eures Kindes?

Rüdeger: Beim Haupt Dietlindes!

Kriemhilde: Ich danke Euch, nun will ich schlafen
gehen.

(Draußen ist es dunkle Nacht. Kein Mondschein.)

Rüdeger (nimmt das Windlicht aus der Klammer. Mit
einem Blick hinaus): Es ist recht dunkel geworden. Eine
tiefe Nacht. Der Mond verging vor schweren Wolken.

Kriemhilde: Recht so, recht so, recht dunkel soll es sein. Im Mondschein seh' ich Dinge, die ich nicht sehen mag.

Rüdeger: Erlaubt, daß ich vorangeh' und Euch leuchte. (Geht voran.)

Kriemhilde (folgt ihm).

Der Wächter (im Burghof):

Mitternacht!
Mitternacht!
Der neue Tag ist da.
Noch weiß es niemand, was er bringt.
Ob, wer begrüßt das Morgenrot,
Ob der nicht schon im Abendrot
Stumm in die Nebel sinkt.

(Vorhang.)

Zweite Abteilung.

(Halle in der Burg von Bechelären. Über die Bühne geht das geschäftige Leben der Vorbereitungen zu einem Empfang.)

Erster Vorgang.

Erster Diener: Hast du sie schon gesehen?

Zweiter Diener: Sie standen unten in dem Hof und sprachen ihr Geröchel und Geschnatter, das kein Mensch versteht.

Erster Diener: Wie sehn sie aus?

Zweiter Diener: Nicht gut. Sie sind zerbeult wie Schilde, die aus dem Kampfe kommen. Und wo nicht Beulen sind, da haben Scharten recht guten Platz gefunden.

Dritter Diener (geheimnisvoll): Wenn Etzel nur nicht grimmig wird, daß man die Boten so zugerichtet hat.

Erster Diener: Zum Teufel, sollen wir denn zusehen wie die Kerle sich unsrer Frauen bemächtigen und sollen jubeln noch vielleicht, weil sie Herrn Etzels Boten sind.

Zweiter Diener: Sie werden sich bemühen, ein Schweigen darüber auszubreiten.

Dritter Diener: Genau betrachtet, waren sie's, die den Burgfrieden brachen.

Erster Diener: Und Eke hatte recht, sie auszubeulen.

Zweiter Diener: Ich kenne eine Faust, die war nicht weit davon, als sie gehauen wurden; und wenn mich einer bringlich nach ihr fragt, so könnt' ich sie augenblicklich zeigen.

Werbel und Schwemmel (vom Hofe über die Treppe des Altans; sie sehen von einer Schlägerei arg zugerichtet aus).

Werbel: Wir haben eine schlechte Nacht gehabt. Das sollt ihr Herrn Rüdeger berichten, und daß wir jetzt zu ziehen wünschen. Wir bitten um Urlaub.

Schwemmel: Rührt euch, ihr trägen Knechte. (Geht auf sie zu.) Gebt euch acht, daß ich nicht erst genauer Umschau halte. Mich dünkt, ich sehe einige, die heut zur Nachtzeit böse Träume spielten. Ich bin ein Zauberer und glaube, ich versteh' etwas davon, die Träume auszudeuten.

Werbel: Und ich, ich habe seit langem schon den Wunsch, bei Tag mir einen bösen Alp zu fangen, damit ich ihn genau betrachten kann.

(Die Diener haben sich zuerst etwas zurückgezogen, dann aber wieder trotzig geschart.)

Erster Diener: Wenn ihr so gut Bescheid mit Träumen wißt, so habt ihr wohl davon gehört, daß hierzulande Träume sind, die Fleisch und Knochen haben.

Zweiter Diener: Und Fäuste.

Erster Diener: Und die den Tag nicht scheuen.

Zweiter Diener: Und keine Zauberer.

Schwemmel: Das züngelt noch! Das hebt noch seinen Kopf! Und hat gesiegt, weil sich's den Rausch zum Helfer nahm.

Werbel: Ich nehm' mir einen zwischen zwei Finger und steck' ihn in den Reisesack, daß ich zu Abend

in der Herberge mein Ergötzen habe. (Sie gehen auf-
einander los.)

Dietlinde mit Ekkehard.

Ekkehard (zu den Dienern): Zurück! (Zu den Boten.)
Verzeiht, der Herr ist aus dem Hause, da sind die
Knechte frech.

Werbel: Der Herr ist aus dem Hause? Wir
wollten Urlaub nehmen von Markgraf Rüdeger.

Dietlinde: Der Vater ritt den Gästen schon entgegen ganz früh am Tage. Die Mutter steht mitten im
Wirrwarr der Arbeit und weiß nicht, was sie eher tun
soll. Ihr müßt mit mir schon vorlieb nehmen.

Werbel: Wir täten's gern und schätzten uns be-
glückt, wenn's nicht gerade heute wär, wo wir recht schlecht
bestehen vor einer edeln Jungfrau.

Schwemmel: Wir danken Euch, daß Ihr uns
Euren Anblick gönnt. Doch bitten wir Euch zugleich,
daß Ihr Euch enthaltet uns anzusehen.

Dietlinde: Es ziemt mir nicht zu fragen.

Schwemmel: Fraget nicht. Es ist ein altes Übel
unsres Volkes. Der Trieb zu kämpfen steckt uns so
im Blut . . .

Werbel (einfallend): daß wir, wenn wir mit fröh-
lichen Gesellen des Guten etwas allzuviel getan und ringsum keiner sich dem Streit geneigt zeigt, in Rausch und
Hitze selbander uns entzweien.

Dietlinde: Dies also war der Lärm, der heute
nachts im Hofe tobte.

Werbel: Wir hielten uns für Feinde und taten
aneinander, wir wir an Feinden pflegen. (Die Diener haben,
scheinbar mit ihren Arbeiten beschäftigt, zugehört und lachen heimlich untereinander.)

Ekkehard (weist sie hinaus. Diener ab.)

Schwemmel: Nun bitten wir um Urlaub.

Dietlinde: Ihr wollt schon reiten, ohne abzuwarten, bis die Burgunden kommen.

Ekkehard: Ich dachte, daß ihr sie an der Grenze von Etzels Reich begrüßen wollt.

Werbel: Unser Auftrag lautet, den Nibelungen überall, wo sie auf ihrem Zug an Etzels Hof den Auf= enthalt zu nehmen haben, so freundlichen Willkommen zu bereiten, als käme Etzel selbst.

Schwemmel: Das will bereitet sein.

Werbel: Denn Etzel ist der Herr der Welt.

Dietlinde: So geb' ich euch im Namen meines Vaters Urlaub.

Werbel: Wir danken Euch und bitten Euch, den Dank des Königs Etzel für die Bewirtung seiner Boten dem Grafen darzubringen.

(Sie verneigen sich. Ab über die Treppe.)

Dietlinde und Ekkehard.

Dietlinde: Ein sonderbares Volk, die Heunen. Sie müssen streiten, wenn nicht mit andern, so mit= einander. Sie waren übel zugerichtet.

Ekkehard: Was sie erzählten, war ein Spiel= mannsmärchen. Wahr ist so viel, daß sie unbändig sind.

Dietlinde: So war das nächtliche Getümmel auf dem Hofe . . .

Ekkehard: .. nicht aus dem Grunde entstanden, den sie rasch vor Euch erfanden. Doch bitt' ich, laßt mich den wahren Grund verschweigen.

Dietlinde: Doch schätzt sie König Etzel hoch, da er sie nach Worms gesandt, um zu dem Fest die Könige zu laden.

Ekkehard: Sie sind die einzigen von allen Heunen, die etwas doch von ritterlichen Sitten sich angeeignet. Doch ist dies nur ein Kleid, und unter ihm sind sie die alten Heunen.

Dietlinde: Sie sind getreue Boten und gehorsam ihrem Auftrag.

Ekkehard: Als sie auf ihrer Fahrt nach Worms hier weilten, dacht' ich nicht, daß die Burgunden ihrer Ladung folgen würden.

Dietlinde: Und warum nicht? Daß sich Kriemhilde sehnt, nach sieben Jahren die Brüder zu sehen, daß sich die Brüder sehnen, die Schwester in ihrem neuen Glanz zu sehen! Und alle kamen.

Ekkehard: Auch Hagen!

Dietlinde: Auch Giselher; Kriemhilde lächelte — es schien mir so — als sie von ihm erzählte.

Ekkehard: Auch Hagen! Und da vergißt Kriemhilde wohl das Lächeln.

(Ein Hornstoß.)

Dietlinde: Sie reiten in den Hof. (Sie geht an den Altan und blickt hinab.) Sie sind's. Ekkehard! die Namen . . Du kennst sie wohl von früher.

Ekkehard: Der Hohe zur Rechten Rüdegers ist Gunther.

Dietlinde: Und der jetzt abspringt und sein Roß liebkost, der Lichte, Schlanke ist Giselher. Ich kenn' ihn nach Kriemhildes Worten.

Ekkehard: Er hat sich viel verändert. Ich, der ich ihn gesehen, ich hätt' ihn nicht erkannt.

Dietlinde: Mein Bild von ihm vergaß nicht auch den Schritt der Jahre.

Ekkehard: Der Finstere dort ist Hagen. Der bei ihm steht, Volker, der Spielmann. Und der sich eben umsieht ist Gernot.

Dietlinde: Sie kommen! Nun rasch in meine Kemenate. (Ab nach links hinten.) Mutter, Mutter, sie kommen!

Zweiter Vorgang.

(Ekkeharb zieht sich nach hinten zurück. Die Nibelungen kommen über die Treppe des Altans, voran Gunther und Rübeger. Alle in Waffen bis auf Rübeger. Diener folgen nach.)

Rübeger, Gunther, Gernot, Giselher, Hagen, Volker, Dankwart. Hinten Ekkeharb.

Rübeger: Noch einmal, willkommen denn in Becheldren.

Gunther: Wir banken beinem Doppelgruß mit Dank, der jeben andern Dank verdoppelt.

Rübeger: Nehmt, was die schlichte Burg euch bieten kann, freundlichen Sinnes auf.

Gernot: Auf unsrer Fahrt vom Rhein hierher sahn wir genug an stolzen Burgen, hörten viel an frohen Worten des Willkommens, doch keine dieser Burgen gleicht der beinen, kein Wort des Willkomms war so warm wie beines.

Volker: Die Burg ist wie ihr Herr. Ich kenne Mauern und steile Türme, die winklig ineinanbersitzen und so verkniffen zum Himmel sehen, baß ich weiß, ich barf bem Herrn der Burg nicht weiter trauen als meine Augen reichen. Doch nun ich beine Burg gesehen, reich ich dir zweifach froh die Hand.

Rübeger (gibt ihm die Hand): Ich wünschte, baß ich Euch entgelten kann, was Ihr an mir getan, als ich die Werbung Etzels vor Euch brachte.

Giselher: Ihr tut schon jetzt so viel, baß wir Euch bitten müssen, recht balb nach Worms zu kommen. Wir sind nicht gern in Schulb und wollen ben Überschuß an Euch abtragen.

Rüdeger (zu den Dienern): Rührt euch und nehmt die Waffen ab.

(Die Diener helfen den Gästen aus den Waffen.)

Hagen (zu dem Diener, der ihm das Schwert abnimmt): Gib acht, die Klinge beißt. Und wenn du Kinder hast und später Enkel, so vergiß nicht zu erzählen, du hätteft Balmung einst in der Hand gehalten. (Zu dem anderen, der nach dem Schild greift.) Willst du mich verspotten? Das da ist Hagens Schild, nimm dir Gefährten zu der Arbeit, sonst erschlägt er dich. (Zwei Diener tragen Hagens Schild links seitwärts hinaus.)

Rüdeger: Ihr seid gerüstet, als ging es in den Kampf und nicht zum Sonnwendfest an Etzels Hof.

Hagen: Wir kommen aus dem Kampf und gehn zu einem neuen.

Rüdeger: Wie meint Ihr das?

Hagen: Nun, wenn Herr Etzel uns zu Ehren die Heunen turnieren läßt, sollen wir da auf dem Altan sitzen und bloß Kränze werfen. Wir wollen selbst auch unsere Rosse tummeln und Lanzen brechen.

Rüdeger: Verzeiht, Herr Hagen! Ekkehard, geh zu den Frauen, sag, daß unsere Gäste warten, und daß ich bitte, sie möchten kommen, die Helden zu begrüßen.

Ekkehard (ab).

Rüdeger: Ihr spracht von einem Kampf, aus dem Ihr kommt.

Gunther: Wir ritten voran mit dem Troß, als wir durch Elfes und Gelfrats Länder kamen . . .

Rüdeger: Das sind sehr mächtige und grimme Herren.

Hagen: Sie waren's.

Gunther: Hagen und Volker deckten den Rücken uns mit ein paar hundert Knechten. Schon glaubten wir, daß wir den Grimmigen entkämen, da glomm ein

Strobl, Die Nibelungen an der Donau.   4

Leuchten durch die Nacht, der Blitz von Hagens gezücktem Schwert und schon kam Lärmen und Gerassel des Kampfes. Sie hatten sich gefaßt.

Volker: Und als der Morgen kam, da lagen Else und Gelfrat im blutigen Schein der Sonne, selbst blutig und so stumm wie Tote für gewöhnlich sind. Wir hatten mit scharfem Schwert den Herrn zur Ader gelassen, daß mit dem Zorn ob Hagens Tat zugleich auch Blut und Leben floh.

Rüdeger: Ob Hagens Tat? Was tat Herr Hagen, die Wilden zu erzürnen?

Volker: Er schlug den Fährmann Elses, der sich weigerte, die Nibelungen über den grimmen Strom zu fahren.

Hagen: Die Donau war geschwellt, der Fährmann höhnte mich, schlug erst mit Worten drein, dann mit der Stange . . .

Gunther: Und Hagen war ergrimmt von einem Abenteuer, das er zuvor mit Wasserweibern hatte. Er traf sie badend; die Gewänder, ohne die sie machtlos sind, zusammenraffend, zwang er sie, ihm die Zukunft zu verkünden. Es mag nicht grad nach Hagens Wunsch gewesen sein, was sie ihm kündeten, er weigert sich, es weiter zu erzählen. Doch er geriet in fürchterlichen Zorn, und da kam ihm der Fährmann grade recht.

Hagen: Beklagt euch nur bei Markgraf Rüdeger! Beklagt euch über mich!

Giselher: So groß war Hagens Zorn, daß es mit dieses Fährmanns Tod zu wenig schien. Als wir im schmalen blutigen Boot grad mitten auf der Donau waren, wo wilde Wirbel tosen, da packt' er den Kaplan, der mit uns war und hob ihn über Bord und warf ihn in das Wasser. „So,“ rief er, „mach' ich dummes Weibsgeschwätz zunichte.“ Der arme Pfaffe schwamm und griff nach unserm Boot, doch Hagen stieß nach ihm mit der Stange und schrie: „Du mußt ersaufen." Da wandte sich der Arme, rang mit den Wellen, strebte nach dem Ufer, versank und kam empor und endlich, endlich gelang es ihm, das rettende Gestade zu erreichen.

Gernot: Gott reichte sichtbarlich dem Pfaffen seine Hand.

Gunther: Von allen deinen Taten, Hagen, war keine törichter und grausamer zugleich.

Volker (nachdenklich): Oder keine klüger! Wenn man nur wüßte, was die Wasserfrauen sprachen!

Hagen: Glaub' mir, Gunther, es wäre besser für dich und für dein Volk gewesen, der Pfaffe wär' ersoffen.

Gunther: Ich fasse nicht den Sinn!

Rüdeger (nachdenklich): Tut Hagen etwas ohne Sinn?

Ekkehard (öffnet die Tür links hinten).

Gotelinde und **Dietlinde** (in Festgewändern. Die Gäste neigen sich.)

Gotelinde: Ich preise unsre Herrin, die Frau Königin Kriemhilde. Als sie in dieser Burg mit unserm Herrn sich fand, versprach sie mir viel Liebes und viel Gutes. Sie hat's gehalten. Doch nun hat sie das Liebste und das Beste mir getan. Sie zwang mit liebevollen Bitten ihre Sippen mir herbei, zum Aufenthalt in meiner Burg.

Gunther: Zu nur zu kurzem Aufenthalt, vieledle Frau. Schon morgen geht unsre Reise weiter.

Hagen: Ich wollte, diese Reise wär' hier zu Ende!

Gotelinde: Daß es Euch also wohlgefällt, Herr Hagen, macht mich stolz.

Gunther: Wer können nicht verweilen, denn das Fest der Sonnenwende, zu dem uns unsre Schwester lud, ist nicht mehr fern.

4*

Rübeger: Dieß hier ist meine Tochter Dietlind'; wer die Gäste sind, brauch' ich nicht anzusagen, jedes Art steht deutlich seinen Zügen eingeprägt.

(Gruppen: Rübeger mit Volker und Hagen, Gotelinde mit Gunther und Gernot, Danfwart und Ekkeharb. Ganz vorn: Dietlinde mit Giselher.)

Giselher: Hat Euer Vater recht, steht wirklich unsre Art den Zügen eingeprägt? Wer bin dann ich?

Dietlinde: Ihr seid Herr Giselher.

Giselher: Erraten. Und wenn man mich fragte, wer Ihr seid, so sagte ich: Ihr seid, die keinen Namen braucht, die man bei allem Lieblichen sich denkt. So schön dies Tal der Donau ist, durch das wir ritten, vollkommen wird es erst dort, wo es Euch umschließt.

Dietlinde: Am Rheine, hört ich, ist soviel Singen und Klingen in der Luft, daß jedermann ein Dichter ist. Nun hab ich den Beweis.

(Hornstoß im Hof.)

Rübeger: Was gibt's?

Ekkehard (auf dem Altan): Von Bern Herr König Dietrich und Meister Hildebrand. Sie reiten ein und springen ab.

Rübeger: So sammelt sich an diesem einen Tag in unsrer Burg, was nur in West und Ost an edeln Helden lebt.

Gunther: Herr Dietrich! Nun, ihr Nibelungen, gebt Raum und tretet vor dem Tapfersten zurück, den diese Erde trägt.

Dritter Vorgang.

(Dietrich und Meister Hildebrand über die Außentreppe).

Rübeger (Dietrich entgegen): Ihr kommt zur rechten Stunde, um hier in Bechelaren alles zu vereinen, was dieser Burg noch Glanz und Namen gibt, wenn einst an ihrer Stelle nur wüste Trümmer stehen.

Dietrich: Der Gruß enthebt mich, Euch zu bitten, daß Ihr mich fragt, weshalb ich komme.

Gotelinde: Wenn Dietrich kommt, so fragt man nicht: weshalb?

Dietrich: Doch möcht' ich Euren Gästen recht verständlich sein — Herr Gunther, Eure Hand! — ich komme, euch an den Marken von König Etzels Ländern zu empfangen.

Gunther (reicht ihm die Hand): Ich halte diese Hand und wage Euch zu bitten: seid unser Freund.

Dietrich: Ich bin's. Und darum kam ich.

Hagen: Ihr kommt in König Etzels Namen?

Dietrich: Für Etzel steht Herr Rüdiger hier unter euch. Ich komme in meinem eigenen Namen. Ihr seid Herr Hagen?

Hagen: Noch immer!

Dietrich: So bitt' ich Euch, gebt mir Gehör! Vier Worte lang, nicht länger! (Er nimmt ihn abseits. Die übrigen in Gruppen: Gotelinde, Gunther, Rüdeger, Gernot, weiter Volker, Dankwart und Hildebrand, 3. Giselher und Dietlinde, alle weiter hinten.) Ich weiß, Ihr seid der Nibelungen rechter Arm und halber Kopf.

Hagen: Das müßt Ihr die Nibelungen fragen, nicht mich!

Dietrich: Ich brauche nicht zu fragen, ich weiß es.

Hagen: Und Eure vier Worte, Herr König!

Dietrich: Kriemhild hat nicht vergessen!!

Hagen: Seht, Herr Dietrich, das brauch' ich nicht zu fragen, ich weiß es!

Dietrich: Wer sagte Euch's.

Hagen: Ich wußte es seit je. In Nächten war es mir, als hörte ich Kriemhilde weinen, ich las es auf den Gesichtern ihrer Boten, daß es zum Kampfe ging und nicht zum Fest. Ich warnte die Könige, sie hörten nicht. Und hätt' ich's nicht vorher gewußt — drei weise Wasserfrauen sangen mir's — als ich sie fing.

Dietrich: Sogar die Weiber wissen's schon.

Hagen: Es waren weise Weiber. Im Schilfe halb verborgen riefen sie: „Und keiner kehrt zurück nach Worms als der Kaplan." Da faßt ich den Kaplan und warf ihn in den Strom. Der Pfaffe hatte Glück, er ruderte und schnaufte, doch er entkam.

Dietrich: So rat ich Euch: kehrt um.

Hagen: Hildebrand!

Hildebrand: Zu Euren Diensten, Herr Hagen!

Hagen: Ist dies auch ganz gewiß und sicher König Dietrich? Von Bern Herr Dietrich? Ward er nicht etwa Euch im Schlaf vertauscht, wie Zwerge manchmal die Kinder aus den Wiegen stehlen und ihre eignen Wechsel-bälge darein betten.

Hildebrand (verblüfft): Es ist Herr Dietrich!

Hagen: Und ganz gewiß.

Hildebrand: Es ist mein Herr und König.

Hagen: Ich dank' Euch.

Hildebrand (geht).

Dietrich: Ich wußte nicht, daß ihr auch manchmal Possen treibt, Herr Hagen.

Hagen: Ich wußte nicht, daß Dietrich — da Ihr ja wirklich König Dietrich seid — Ratschläge gibt, die er, wenn man sie ihm erteilte, lachend von sich wiese. Stellt Euch vor, Ihr reitet der Gefahr entgegen, und Hagen stellte sich vor Euch und riefe: kehret um! Was tätet Ihr?

Dietrich: Ich ritte weiter.

Hagen: Nun seht, wir reiten weiter. Bevor wir uns von Worms erhoben, konnt' ich warnen: bleibt da-heim! Nun haben wir's begonnen, nun gibt es kein Zurück.

Dietrich: So rat ich Euch, sucht Waffenbrüder!

Hagen (rasch): Wollt Ihr uns Waffenbruder sein?

Dietrich: Ich bin Euer Freund, doch bin ich auch Herrn Etzels Mann und durch den Eid gebunden.

Hagen: Wo sollen wir die Waffenbrüder suchen? Wo ist der Mann in diesem Reich, der nicht an König Etzel durch Eid gebunden ist?

Dietrich: Ich warnte Euch und riet Euch schon. Vielleicht war dies schon gegen meine Pflicht.

Dietrich (geht zu den übrigen).

Hagen (sinnend): Wo find' ich ihn, den Waffenbruder?

Giselher und Dietlinde sind im Gespräch mehr nach vorn gekommen.)

Dietlinde: So vergehn die Tage nur allzuschnell.

Giselher: Wie gerne kürzt' ich meine Jahre alle um die Hälfte, könnt' ich die andre Hälfte in Eurer Nähe sein.

Hagen (sieht die beiden an. Dann hart triumphierend): So soll's geschehen. Eid gegen Eid. Dann laßt uns sehen, welcher stärker ist.

(Inzwischen ist die lange Tafel in der Halle gedeckt worden. Schwere weiße Tischwäsche, viel Silber, Zinn und Kupfer — vergoldet — aber wenig Glas. Dienerinnen decken inzwischen die Frauentafel in der hinteren Nebenhalle. Nachdem die Vorbereitungen getroffen sind: lauter Schlag auf ein Becken.)

Rüdeger: Zu Tische, meine lieben Gäste. Zu Tische! Man soll nicht sagen, daß Rüdeger die Freunde aus Burgundenland mit Worten abgespeist und schönen Blicken ins Donautal.

Gotelinde: Zu Tische, wenn's gefällig ist.

Hagen: Wir folgen gern, denn seit wir aus der Hut des braven Bischofs Pilgerin entkamen, erging es uns so wohl in Eurem schönen Land, daß wir verwöhnt

sind durch Speis' und Trank. Wenn wir daheim des
Tages zweimal aßen, so müssen wir's jetzt viermal tun.

Volker: Und alle Herren in den stolzen Burgen
bemühten sich um uns, als wär' es ihre Pflicht, den Rhein
vergessen uns zu machen.

Gunther: Wir glaubten, daß die Gastlichkeit bei
uns so hoch gediehn, so überragend hoch, daß nirgendwo
ein Land dem unsern gleichkommt . . .

Gernot: Und sehn uns übertroffen.

Hagen: Ich bin von Künsten just kein Freund;
doch hier ward ich bekehrt zu einer Kunst, zu eurer
Kunst Behagen mitzuteilen — selbst wenn es sonst nicht
grad behaglich ist.

(In feierlichem Zuge unter Vorantritt des Küchenmeisters bringen
die Diener die verdeckten Speiseschüsseln und setzen sie auf den
Anrichtetisch. Jeder steht bei seiner Schüssel.)

Der Küchenmeister tritt vor und verneigt sich vor
den Gästen): Um Vergebung, edle Herren, bitt' ich zuvor,
für das, was ich zu bringen wage. Ich wage nicht zu
hoffen, daß ihr zufrieden mit mir seid. Gebe Gott, daß
ihr mich nur nicht scheltet.

Gunther: Wackrer Meister, und brächtet Ihr uns
Stein statt Brot und Leder statt des Fleisches, so habt
Ihr Euch zuvor durch edle Zucht von allem Vorwurf
freigemacht. Wer so kredenzt, verdient, daß man nicht
frage, was er bringt!

Hagen: Rumolt, Rumolt, Rumolt!

Gotelinde: Wen ruft Ihr an?

Volker: Er denkt des Küchenmeisters. Der blieb
daheim, um Burg und Land zu hüten. Doch nun bedaur'
ich's, daß er fern blieb. Er hätte lernen können, wie man
mit Worten Speisen schmackhaft macht.

Gernot: So tüchtig er in manchen Dingen ist,
im Rossetummeln, Speerewerfen, Jagen, in dem was

anbern auch gelingt; barin, was ihm besonders gut gelingen soll, ist er am schwächsten. Er setzt oft Speisen
auf den Tisch, daß man verzweifelt fragt, aus welchem
Reiche der Natur sie stammen.

Volker: Und zankt noch, wenn man fragt, ob
unsres Undanks.

Giselher: Wie heißt Ihr, Meister?

Der Küchenmeister: Hartung, junger Herr!

Giselher: Wenn ich nach Hause komme, geh' ich,
bevor ich noch mein eigenes Gemach betrete, in Rumolts
Küche und schreibe Euern Namen übern Herd, daß er
ihn stets vor Augen hat.

(Die Frauen Gotelindes und die Gespielinnen Dietlindes im Zuge aus der Tür links. Die Ritter lassen gesenkten
Hauptes den Zug der Frauen, die sich paarweise vor ihnen verneigen, an sich vorbei zur Tafel in der Nebenhalle.)

Dietlinde: Nun wünsch' ich nur, daß euch die
Werke Hartungs so gut munden, so wie ihr schön zu
sprechen wißt, bevor ihr noch gekostet. (Sie schickt sich an,
den Frauen zu folgen.)

Giselher (einen Schritt zu ihr): Ihr geht von uns?

Dietlinde: Nicht allzuweit und nur solange, bis
Ihr getafelt habt.

Giselher: So verzicht' ich auf Speis' und Trank
und habe schon getafelt.

Gotelinde: Das wäre schlimm für einen jungen
Helden, der Mark und Blut bedarf. Laßt sie nur, wie
es die Sitte fordert.

Gunther: Und Ihr selbst?

Gotelinde: Nie noch folgt ich so gern der Pflicht
der Hausfrau bei dem Gast zu bleiben, daß Schimpf und
Lob mich allsogleich erreiche.

(Die Gäste treten an ihre Plätze heran. Gotelinde gibt das
Zeichen zum Beginn des Mahles, indem sie sich zuerst niedersetzt,
worauf die andern ihre Sitze einnehmen, zuletzt Rüdeger.)

Der Küchenmeister (tritt an die Brüstung des Säulen=
ganges und hebt den Stab): Die Herren sitzen!
(Im Hof Geräusch von vielen Männern, die sich zu Tisch setzen.)

Alle (unten): Gott segne unser Mahl!

Volker: Das nenn ich aus dem Herzen beten.

Hagen: Wenn man nicht lieber sagte: aus dem
Magen.

Der Küchenmeister (hebt den Stab gegen die Diener.
Die Tafel beginnt in der Weise, daß zwei der verdeckten Schüsseln
herangetragen werden, die zunächst vor Rüdeger gebracht werden,
der aus jeder einen Bissen kostet, die am oberen und am unteren
Ende des Tisches aufgestellt werden, worauf sich jeder selbst nimmt.
Nur Gunther wird von Gotelinde bedient. Ein Diener be=
sorgt in unaufhörlichem Rundgang den Wein. Gleichzeitig werden
zwei kleinere Schüsseln auf den Tisch der Frauen gesetzt.)

Gernot: Was ist's mit diesem sonderbaren Zeichen,
das ich vor jedem Teller seh?

Volker: Ein Stückchen Horn von einem Pferde=
huf und eine Rose!

Rüdeger: Wie sich der Christ ein Kreuz im Schlaf=
gemacht zu Häupten seines Bettes hängt, daß er sich stets
erinnere, wie Gottes Sohn für ihn gestorben und was
er ihm verdankt, so mahnt mich dieses Stückchen Horn
auf meinem Tisch an König Etzel. Was ihr hier seht,
ist sein Geschenk. Dies Tuch, dies Silber, den Bissen,
den ihr eßt, den Stuhl, auf dem ihr sitzt, ja jeden Stein
der Burg hab ich von ihm. Nähm' er zurück, was er
mir überließ, so sähet ihr ein grauses Wunder. Alles
fiele ab von mir, verschwände wie Nebel in der Sonne,
und es bliebe nichts übrig als mein nackter Leib. Ja
auch der zerfiele wohl in Staub, denn auch ich war schon
dem Tod geweiht.

Hildebrand: Wer's nicht gesehn, der wird es nie
begreifen, wie entsetzlich die Heunen Etzels aus dem Osten
brachen. Nehmt einen Sturmwind, den schlimmsten, den

ihr je erlebt, die Feuersbrunst, die je am grimmigsten
gewütet, vermählt die beiden und verdreifacht sie, dann
habt ihr ein geringes Bild von ihrer Wut. Nichts
konnte widerstehen. Sie fegten alles fort, und das Ge-
trappel der Pferdehufe in den reifen Ernten war weithin
hörbar. Neben Garben lag der Schnitter, und mit der
Linde vor dem Haus verbrannten sie den Bauern.

Hagen: Das wär ein Feind für uns gewesen,
Gunther, ein andrer als Liutger und Liutgast, die Frechen.

Hildebrand: Trotz Eurer Kraft und Eurem wilden
Mut, Herr Hagen, in diesem Kampfe hätt' ich nicht gewagt, auf Euch zu wetten. Zwei Mächte gab es nur auf
dieser Welt, den Siegeszug der Heunen aufzuhalten.

Hagen: Die eine?

Hildebrand: Dietrichs Schwert.

Hagen: Die andre?

Hildebrand: Etzels eigner Wille. Doch Dietrich
hielt sich abseits, sah mit verschränkten Armen zu wie
Land auf Land und Stadt auf Stadt von Etzels Schwarm
verwüstet ward und schwieg. Man sagte, er sei gebannt,
das Schwert blieb in der Scheide. Manchmal kommt's
über ihn, es ist, als ob er Zukunft sähe, dann schweigt
er so und starrt wie jetzt.

Gotelinde: Sprecht etwas, König Dietrich, wir
fürchten uns vor Euch.

Wolfhart: Es nützt nicht, Fürstin, ihn zu wecken,
wenn er nicht selbst erwacht. Was taten damals wir
nicht alles.

Hildebrand: Doch Dietrich schlief. Und also war
die Welt für Etzels Willen frei.

Rüdeger: Ich dank' Euch, Hildebrand, doch nun
kommt es an mich, das weitere zu berichten. Schon war
der Himmel wochenlang von brennenden Dörfern gerötet,
schon lag Geschrei und Geheul in der Luft, und jeder
Wind, der aus dem Osten kam, trug den Geruch ver-

sengten Fleisches mit sich, da sammelte sich vor der Burg
von Bechelâren das Aufgebot des Donautals. Zweihundert
Haufen zu je hundert Mann — zwanzigtausend Menschen,
eine Feder vor Etzels heißem Atem. Wir nahmen das
Abendmahl in der Kapelle, deren Kreuz dort unten bei
dem Söller glänzt. Dann küßten wir die Weiber und
die Kinder, die uns nachsahn, die Dolche in der Hand,
mit denen sie sich töten sollten, wenn wir fielen. Ich
sah noch einmal um: Gotelind, Dietlinde auf dem Arm,
stand auf den Zinnen überm Tor und winkte mir.

Gotelinde: Ich glaubte, es sei das letztemal, daß
ich ihn sah.

Rüdeger: Wir standen wartend. Weithin glitzerten
die Speere der Ritter. Vor uns in Gräben lagen Arm-
brustschützen. Da zogen Wolken auf.

Gotelinde: Es war, als löse sich die Welt in
Rauch.

Rüdeger: Die Wolken hingen zwischen Wald und
Wald im Tal des Stroms und kamen auf uns zu, erfüllt
von fürchterlichem Heulen. Jetzt sahen wir die Pferde,
doch die Reiter verbargen sich vor uns, indem sie seitlings
von den Pferden hingen, in die Mähnen der Klepper ein-
gekrallt. Schon hoben unsre Schützen die Armbrust, da
ging ein Ruf durch die Haufen der Heunen, die Pferde
standen augenblicks und zitterten. Die Reiter tauchten
hinter ihren Rücken auf und zeigten gelbe, schmutzige
Gesichter. Noch standen wir und wußten nicht, was da
geschehn, da kam ein Reiter auf uns zu und schwenkte
einen grünen Zweig. Nun ritt ich vor und nahm den
Helm ab. Darauf deutet' er durch Zeichen, daß er ein
Bote sei und mich zu führen habe. Er führte mich vor
Etzel; ein Gefangener, der ihre Sprache zu verstehn gelernt,
vermittelte hier zwischen uns. „Wieviel Mann,“ so fragte
Etzel. „Zwanzigtausend,“ entgegnet' ich. Da lachte Etzel
und gab mir Bescheid, auf einen aus unserm Heere kämen

hundert Heunen. „Nun,“ sagte ich, „dann werden fünfzig fallen, bevor der eine fällt.“ Da sah mich Etzel an, gab mir die Hand und sprach ein Wort. Der Gefangene verfärbte sich, fiel auf die Knie, hob seine Hände zu brünstigem Gebet und sprach, indem er aufstand: „Genug! der König sagt: genug.“ Das Wort, das Etzel sprach, es hieß: genug. Sein Reich sei groß genug, es dehne sich aus von dem Lande, woher man Pelze bringt, bis Bechelâren. So ward ich Etzels Markgraf.

Gotelinde: Und alles, was ihr seht, empfing er neu von ihm und tausend neue Ehren noch dazu. Ihm unterworfen und doch nicht untertan ist Rüdeger.

Rüdeger: Bin Etzels Lehensmann und dennoch frei. Und bin ihm treu und um so treuer, als er mir jeden Schwur erließ und mit dem bloßen Worte sich begnügte.

Hagen: Bei aller Liebe, aller Freundschaft, edler Herr: fast wünschte ich, er wäre damals weiter vorgedrungen, bis an den Rhein, bis an die Grenze von Burgund gekommen. Nur um Hildebrand, dem Zweifler, zu beweisen, daß es ein Drittes gab, ihn aufzuhalten: unsre Kraft. He Volker! He Giselher . . .!

Giselher (der immer unverwandt nach Dietlinde gesehen hat): Was gibt's?

Hagen: Er scheint, du siehst nur und verlernst das Hören!

Gernot: So ist erklärt, warum der Huf vor jedem Teller liegt. Doch die Rose?

Gotelinde: Seit sieben Jahren liegt sie bei dem Huf.

Gunther: Seit sieben Jahren?

Gotelinde: Seit Etzel mit Kriemhilde sich vermählt!

Hagen (nimmt die Rose auf und riecht daran).

Dietrich (erwacht aus seinem Sinnen): Es bleibt ein sonderbares Bündnis: Huf und Rose!

Dankwart: Herr Dietrich spricht.

Hagen (hat die Rose fallen lassen und zertritt sie mit dem Fuß): Verzeiht, welch' Ungeschick, nun ist die Rose hin. He Spielmann, mach ein Lied: „Der Rose Untergang."

Gotelinde: Zur rechten Zeit erinnert ihr daran, daß wir den Mann in unsern Mauern haben, den seine Lieder schon uns nahe brachten, als er noch fern in seiner Heimat war. Die Zeit ist also angefüllt mit Taten, daß man den Liedern doppelt gerne lauscht, die uns den Waffenklang vergessen lassen.

Dietrich: Edle Fürstin, auch das Lied ist eine Tat.

Hagen: Und Volkers Lieder ganz gewiß. Manchmal rinnt Blut aus ihren Zeilen. Er ist der einzige, den ich noch hören mag, weil er so scharfe Lieder hat als Hiebe.

Rüdeger: So singt, Herr Volker, sonst sind wir des Glaubens, daß Ihr mit Euren Wirten unzufrieden seid.

Gotelinde (erhebt sich): Gott sei bedankt für dieses Mahl!

Alle (erheben sich außer Hagen): Gott sei bedankt.

Der Küchenmeister (auf dem Säulengang; hebt den Stab gegen den Hof): Die Herren stehen auf.

Gunther: Daß wir unzufrieden mit einem nur, sei Euch vertraut: mit Eurer Art, die Gäste zu verwöhnen, so Herr als Knecht. Herr Hartwig, hört mich an. Hier meine Hand als Dank und Anerkennung Eurer Kunst. Und daß Ihr meiner auch fernerhin gedenken möget, geht hinab zu meinem Kämmerer: drei reiche Festgewänder, mit Zobel und mit Harme wohl verziert und breiten Lederborten, eine Rüstung mit Gold belegt, dazu den Waffenrock aus Ferrandine wählt Euch aus in meinen Truhen. Dankwart führt Euch hin und achtet wohl darauf, daß Ihr nicht wieder zu bescheiden seid.

Der Küchenmeister (verneigt sich vor Gunther): Herr König, meinen Dank.

Dankwart: Schweigt von Dank. Daheim in Worms am Rhein wär bessere Gelegenheit zu wählen. Wir führen nur mit uns, was unsre Reise nicht allzu sehr beschwert.

Wolfhart: Nehmt mich mit. Ich war in Byzanz als Herrn Dietrichs Bote. Seitdem versteh ich etwas von Gewändern.

(Der Küchenmeister, Dankwart, Wolfhart ab. Inzwischen haben die Knechte die Tafel abgedeckt. Auch die Tafel in der hinteren Halle ist abgedeckt worden, und die Frauen begeben sich im Zuge unter demselben Zeremoniell an den Gästen vorbei.)

Gotelinde: Ihr Frauen, ich bitte euch gar sehr, geht in den Hof und macht den lieben Gästen die Stunden bis zur Nacht erträglich.

Erste Frau: Wir folgen gerne, edle Herrin! (Sie führt den Zug rechts hinaus, über die Stufen des Säulenballons hinab.)

Vierter Vorgang.

(Dietlinde ist zurückgeblieben. Giselher nähert sich ihr und bleibt im Gespräch mit ihr in der hinteren Halle, wo sie an den Bogenfenstern stehend manchmal auf das Tal hinaus sehen. Die übrigen sammeln sich um Volker, der nach der Seite greift, wo er sonst stets die Harfe hängen hat.)

Gunther, Gernot, Hagen, Volker, Dietrich, Hildebrand, Rüdeger und Gotelinde.

Gotelinde: Nun, Herr Volker! Wir warten Eurer Kunst.

Volker: Meine Harfe . . .

Gernot: Sie liegt bei unsern Waffen. (Er gibt einem Diener, der an der Tür steht, einen Wink.)

Hagen: Dort gehört sie hin.

Volker: Alles, was ich kann, beruht in ihr. Sie ist mein bester Freund.

Gotelinde (zu Dietrich): Nennt ihm Eure Taten, daß er sie festhält für die Ewigkeit.

Hildebrand: Sie sind aus Eisen und aus Blut, und diese Mischung hält besser als ein Klang.

Dietrich: Du irrst!

(Einen Augenblick lang drei Gruppen: Rüdeger mit Gernot und Gunther. Gotelinde mit Dietrich und Hildebrand. Hagen mit Volker ganz links.)

Hagen: Dein bester Freund? Und ich? Vergißt du ganz an mich?

Volker: Verzeih, ich kann's nicht glauben. Sonst hieltest du dich fern von mir!

Hagen: Das Feuer ist entfacht, in dem die Echtheit des Goldes erkannt wird.

Volker: Das mit der Rose . .

Hagen: War kein Ungeschick. Der Unmut riß mich hin, daß ich nicht damals klüger war und hinderte, daß zu dem Huf die Rose kam.

(Der Diener bringt die Harfe.)

Gotelinde: Hier ist dein bester Freund.

Volker: Mein bester — nach einem andern! (Er nimmt die Harfe, setzt sich auf die mit Pelzen belegte Truhe links. Die andern stehen um ihn.)

„Unter der Linde im Odenwald . .“

Gunther: Nicht dies, ein andres.

Volker:

„Es war eine junge Königin
Gesessen über der See . .“

Volker: Warte nur, das ist ein neues Lied, das mir die Harfe flüstert.

Hagen: Er mag von Königinnen nichts mehr hören, die Speere werfen und nach Steinen springen.

Volker: Nun, dann ein drittes:

„Ich diene keiner Frauen,
So gerne ich sie seh'
Vor mir gehen
Im grünen Klee;
Mag keiner Fraue trauen
Damit mir nicht ein Leid von ihr gescheh'.

Ich sah die holde Rose
Gar wunderbar und schön:
Vor ihrem Hauche
Mußte bald vergehn
Der Held im grimmen Todeslose,
Der sie gehegt nach minniglichem Brauche.

Drum lieb' ich meine rauhen
Spiel- und Kampfgesellen,
Heut wie eh' —:
Fiedel und Schwert, die schnellen
Und traue keiner Frauen,
Damit mir nicht ein Leid von ihr gescheh'."

Gotelinde: Dein Lied hat eine seltne Kraft.

Rüdeger: Es füllt den Raum und schlägt wie Flügel an die Wände.

Gotelinde: Es scheint zu sprechen: Geht hinaus, nun herrsche ich in diesem Raum.

Dietrich: Wir wollen ihm gehorsam sein. Schon neigt der Tag sich gegen Abend und Eure Gäste, Rüdeger, sahn noch nicht des Pallas' lieblichstes Wunder: den Garten, der dem harten Stein entsprießt.

Gotelinde: Ich gehe gern voran.

(Die Gäste folgen ihr bis in den Säulengang, wo sie ausblickend stehen bleiben. Gotelinde und Rüdeger erklären und zeigen hinab und hinaus. Hagen hat Gunther am Mantel zurück-gehalten.)

Gunther: Was gibt's?

Hagen: König, auf ein Wort!

Gunther: Was willst du?

Hagen: Nur eine Antwort auf eine Frage: Hab' ich dich immer gut beraten?

Gunther (zögernd): Ja! .. Nur einmal . . .!

Hagen (drängend, ohne Einschränkungen zuzulassen): Hab' ich dich gut beraten?

Gunther (eingeschüchtert): Nur . . . dieses eine . . Mal . .

Hagen (beherrschend): Hab' ich dich gut beraten?

Gunther: Ja!

Hagen (hat Gunther im Bann): Ich hab' dich gut beraten?

Gunther (ganz unter seinem Einfluß): Ja, du berietst mich gut!

Hagen: Und immer gut beraten.

Gunther: Und immer gut.

Hagen: Nun höre, Gunther, meinen neuen Rat. Wir waren schon so unklug, daß wir es einmal wagen können, klug zu sein. Sieh dort hin, wen erblickst du dort? (Er zeigt nach hinten, wo Giselher und Dietlinde im Gespräch stehen.)

Gunther: Giselher mit Dietlind', der Tochter Rüdegers.

Hagen: Was tun sie dort?

Gunther: Sie scheinen gut gelaunt, sie lachen. Dietlinde sieht ihn an und Giselher erzählt.

Hagen: Siehst du nicht mehr?

Gunther: Was sonst noch?

Hagen: Merkst du nichts? Dein Bruder Giselher, der frohe Tafelschwätzer, verstummt; er hängt mit seinem Blick an ihr, so daß er kaum den Weg vom Teller zu dem Munde findet. Und als sich Gotelind' erhebt, läuft er davon, zu ihr, und hält sie fest, dort abseits von den andern. Siehst du nicht, daß diese beiden nichts mehr sehen als nur einander.

Gunther: Du meinst?

Hagen: Ich meine nicht, ich weiß. Und da wir im Begriff sind, in ein Land zu gehen, wo allzu nah' die Rose von Burgund zu einem Pferdehuf zu liegen kam, so denke ich, daß es von Vorteil ist, selbst . . . mit Rosen anzukommen. Was denkst du davon, deine Schwester damit zu überraschen, daß Giselher mit Dietlind' sich verlobt'. Angenommen, sie trüge noch eine Spur von Groll in sich, so müßte er doch weichen, wenn sie erfährt, daß Giselher verlobt ist. Ihr Liebling hofft auf einen schönen Ehestand. Das wird sie rühren, und uns alle zieht sie ans Herz.

Gunther: In beinen Worten liegt etwas versteckt, was ich nicht hören mag. Du schmähst die Schwester!

Hagen: Ich schmähe nicht, ich gebe einen Rat. Und dann (furchtbar): es ist zu lang bei uns schon nichts geschehn, was unsern Glanz erhöht. Man muß der Zeit sich in Erinnrung bringen. Ein Ereignis, von dem man spricht, ist nötig. Hochzeit, Taufe oder Tod — es ist ganz gleich, wenn nur etwas geschieht. Diesmal stimm' ich für Hochzeit.

Gunther: Wenn ich dich recht versteh', so ist noch immer dein Argwohn wach. Du glaubst, uns droht Gefahr. Und wär' es so, wie können wir das Schicksal dieses Kindes an unsres knüpfen.

Hagen: Das Kind ist Rüdegers und knüpft uns auch an dessen Schwert.

5 *

Gunther: Ich will davon nichts wissen; auf der Heimfahrt bin ich dazu bereit.

Hagen (lacht furchtbar): Ha — Ha! (Alle sehen auf Hagen hin, und einen Augenblick werden alle Gespräche unterbrochen.)

Gunther: Lach' nicht so!

Hagen: Nein, auf der Heimfahrt soll die Hochzeit sein! Doch die Verlobung muß auf der Hinfahrt schon geschehn. Zu weit entfernt liegt Worms von Bechelären, daß wir noch einmal einen Brautzug rüsten. Das ist mein Rat, es soll sogleich geschehn.

Gunther: Du drängst zu einer Tat . . .

Hagen: Ich rate dir! Ich denke, daß ich dich gut beriet.

Gunther: Jawohl, das hört' ich bis zum Überdruß! Tu, was du willst, ich geb' dir alle Vollmacht. (Er wendet sich ab und geht zu der Gruppe rechts.)

Hagen: Das ist die Brücke, auf die ich noch zu hoffen wage. Eid gegen Eid. Wird auch die hinweggerissen, so ist sie toller als der Wildbach, der von den Bergen kommend seine Ufer zerfetzt und alle Brücken bricht.

(Rüdeger und Gotelinde kommen auf Hagen zu.)

Gotelinde: Nun, Herr Hagen, seid Ihr dem Milden und dem Freundlichen so gram, daß Ihr verschmäht, den kleinen Garten zu besehn. Wir haben ihn mit Not dem Felsen abgezwungen und freuen uns, daß es gelang, den Stein dazu zu bringen, daß er grünt.

Rüdeger: Es ist ein kleines, kleines Fleckchen Erde, nicht wert, daß man viel Worte davon macht. Doch wir wissen, wie viel an Mühe in ihm steckt.

Hagen: Wer wäre noch so wild und hielte seinen Groll in Eurer Nähe fest. Nie sah ich einen Grimmigern als meinen Vater. Wär' er noch am Leben, ich brächt' ihn her, um zuzusehn, wie er in Bechelärens Mauern zahm wird. Rübegers besonnene und warme Milde, Euer, vieleble Frau, getreues Walten und überall der Sonnenschein, der von Dietlinde kommt.

Gotelinde: Ihr sprecht ja fast wie Volker, wenn Ihr Dietlindes denkt.

Hagen: Man wird zum Dichter, wenn man sie nur sieht. Ihr liebt wohl Euer Kind?

Gotelinde: Seit Nuodunge starb, hat die geteilte Liebe sich ganz auf sie gehäuft.

Rüdeger: Wenn Ihr sie anseht, so erblickt Ihr Gotelinde, wie sie in jungen Jahren war.

Gotelinde: Nie war ich so schön wie sie. Sie hört's ja nicht, da kann ich's sagen.

Hagen: So erfüllt Ihr wohl alle Wünsche Eures Kindes?

Rüdeger: Soweit sie zu erfüllen sind. Wenn sie nicht allzu töricht sind, wie es bei jungen Mädchen zuweilen vorkommt.

Hagen: Nun noch etwas, Herr Rüdeger. Von Euren Taten ist alles Land vom Rhein zur Donau so angefüllt, daß man nicht eine Stunde reiten mag und hörte nicht von Euren Abenteuern neue Wundermären. Doch das ist alles schon vorbei. Ihr sitzt auf Eurer Burg und freut Euch tiefen Friedens. Ist die alte Kraft nicht eingerostet, sind die Sehnen nicht schlaff und Euer Schwert nicht stumpf?

Gotelinde (ein wenig verletzt): Wie fragt Ihr da?

Hagen: Versteht mich recht. Wir werden älter. Es ist der Lauf der Welt, daß Alter schwächt. Ich selbst befrage mich manchmal, ob ich noch Hagen bin. Da hab' ich einen Platz zu Worms im Burghof durch Zeichen angemerkt. So weit warf ich den Stein vor zwanzig Jahren, so weit den Speer und so weit sprang ich. Und wenn mir Zweifel kommen, so geh' ich hin und werf' den Stein,

ben Speer und springe und prüfe mich, ob ich so weit
bin, mein Leben abzuschließen.

Rüdeger: Es scheint, nun prüft Ihr mich.

Gotelinde: Ihr könnt beruhigt sein. Noch hat
auch Rüdeger von seinen Kräften nichts verloren. Er
stählt den Leib tagaus tagein in schweren Waffengängen.
Und vor drei Tagen entsprang ein Stier und raste wild
umher, daß alles floh. Nur Rüdeger trat ihm entgegen,
stand da mit breiten Beinen, wartete, bis ihn der Stier
erblickte und auf ihn zukam. Da faßte er ihn an den
Hörnern, stieß ihm den Kopf zu Boden, daß das Maul
sich blutig färbte und führte den Gebändigten zum Stall.

Hagen (reicht Rüdeger die Hand): Es scheint, daß es
Erlesene gibt, deren Kraft dem Alter trotz. Die sterben
als Männer, nicht als Greise, und wenn sie achtzig Jahre
sind. Doch nun, Frau Gotelind', zeigt den Garten; es
wird ein kleiner Gang in freier Luft erfrischen.

Rüdeger (wendet sich nach hinten): Auch Giselher
und Dietlind' . .

Hagen: Laßt sie, denen scheint ein Garten überall
zu blühen, wo sie sind.

(Ab mit Rüdeger und Gotelinde zu den Gästen, mit denen sie im
Gespräch über die Stufen des Altans hinabsteigen.)

Fünfter Vorgang.

(Giselher und Dietlinde kommen im Gespräch nach vorn.)

Dietlinde: So ist's. Ich kenn' Euch schon seit
vielen Jahren. Eure Schwester hat mir von Euch erzählt,
als sie hier weilte. Es war ein Abend, so wie heute.
Um Sonnenwende, ein wenig früher noch vielleicht, der
Sommer stand nicht so hoch. Vor sieben Jahren war's,
und damals war ich siebzehn. Vermögt Ihr auszurechnen,
wie alt ich jetzt bin?

Giselher: Vierundzwanzig!

Dietlinde: Ganz richtig! Gut, mein Kind, so sagte mein Lehrer in der Kunst des Harfenspielens immer, wenn ich einmal nicht grad so oft daneben griff wie sonst.

Giselher: Spielt Ihr die Harfe?

Dietlinde: Ich wagt' es nicht zu sagen, solange Volker in der Nähe war. Ich fürchtete, er werde lächelnd mir die seine reichen, und deren Saiten scheinen mir wie wilde Tiere, die ich nicht zähmen kann. Euch aber, Euch vertrau' ich's an. Ich weiß, Ihr werdet nicht lächeln über mich und mich auch nicht verraten.

Giselher: Wenn Ihr mir versprecht, ein Lied mir auf die Reise mitzugeben!

Dietlinde (ein wenig versunken): Dann war ein junger Mann . . . doch nein, was wollt ich? Ja, also hier, hier saß die Schwester — die Königin Kriemhild' und sprach von Euch. Der Abend schwieg vor diesen Fenstern, und es schien, als nähm' er ihre Worte gierig auf, um sie nachher der Nacht zu übergeben. Die bewahrte sie getreu und sprach mir oft von Euch mit Eurer Schwester Stimme — der Königin Kriemhild'. Und seither kenn ich Euch.

Giselher: Und ich, ich wußte nichts von Euch. So zart ist Euer Name, daß er auf diesem weiten Wege von Eurer blauen Donau bis zum grünen Rhein zerflatterte. Zwar schien es mir, wenn ich von Rüdeger und Bechelâren hörte, und als ihn selbst ich sah: der Mann, der hat ein Heim und hat ein braves Weib und auch vielleicht ein schönes Töchterlein, so sicher und zufrieden schreitet er. So gehn nur die, die das Behagen und den Frieden zu Hause ließen und wissen, wenn sie wiederkommen, stehn Friede und Behagen wartend vor dem Tor. Man fragte nicht danach, denn allzu peinlich war Eures Vaters Sendung, die Werbung um Kriemhild.

Dietlinde: Frieb' unb Behagen sinb bei uns baheim. Doch scheint es mir, baß Ihr betrübt unb büster werbet. Schmerzt ber Gebanke Euch? Warum!

Giselher: Man lehrte mich als Kinb, von allen Lastern ist Neib bas häßlichste. Doch seh' ich Euch, so könnt' ich fast vergessen, was man mich gelehrt.

Dietlinde: Habt Ihr kein Heim voll Glanz unb Fröhlichkeit?

Giselher: Nein.

Dietlinde: Frieb' unb Behagen sinb Euch fremb?

Giselher: Sie sinb uns fremb. Man lebt so hin, glaubt, baß man fröhlich ist, lacht auch zuweilen, unb wenn man bann einmal bes Nachts erwacht, bann möcht' man weinen, wie traurig alles ist. Man schleppt sich nur von Tag zu Tag, hält sich für hoch unb hehr, unb wenn man bann bem wahrhaft Glücklichen begegnet, so sagt man sich: so bist bu nicht. Man muß sich's sagen.

Dietlinde: In allen Lanben preist man ben Hof von Worms als Vorbilb.

Giselher: Er mag's einmal gewesen sein, ba war ich jünger, kaum benk ich bran, so lange scheint's mir her. Doch seit bies Schreckliche geschah — wenn Euch Kriemhilbe sprach, so wißt Ihr, was ich meine —, seither ist es vorbei. Die Farben in unsrer Burg sinb nicht mehr bunt, bas Lachen klingt nicht mehr unb alle Jugenb ist grau. Wenn Frembe kommen, bann zeigt man frohe Mienen, wenn sie gehn, ist wieber bieses heimliche Verbrießen. Zuerst erfüllte Kriemhilb' ben Palast mit Weinen; man konnte sich nicht retten, ein leises Wimmern war in jebem Raum. Seitbem sie weg ist, strömt Brunhilbes Wesen erstarrenbes Entsetzen aus. Sie sitzt in ihrem Zimmer jahraus jahrein, ein Bilb von Stein, unb regt sich nicht, als läge sie im Grab. Sie ißt nicht, trinkt nicht unb stirbt boch nicht. Unb über allebem liegt Schatten, tiefer, mörderischer Schatten, der der Sonne wehrt. Der Schatten kommt von Hagen.

Dietlinde: Von Hagen! So ergeht's Euch so wie mir. Ein Schatten! Ja, das trifft. Man fröstelt, kalt und starr wird mir die Hand, die er berührt. Wenn er spricht, so zittre ich, wenn er geht, so ist es mir, als ob sich seine Tritte dem Stein eingraben müßten, wenn er lacht, so wie vorhin, so schneidet's mich entzwei.

Giselher: Von einem fürchterlichen Vater stammt er. Doch fürchterlicher ist der Sohn.

Dietlinde: Wenn er sich nähert, vergeht mir Lust und Fröhlichkeit.

Giselher: Es ist etwas in ihm, das zwingt. Ich hasse ihn, doch wag' ich nicht, ihm ungehorsam zu sein. Es bannt sein Blick.

Dietlinde: Ich weiche seinen Augen aus.

Giselher: Ihr zittert, Dietlinde — von etwas anderm laßt uns sprechen. In aller Frühe zieh'n wir morgen weiter, da seid Ihr noch nicht wach, die Stunden des Abends wollen wir mit Hagen nicht verderben. Erzählt mir von dem Leben in der Burg, von Festen, die Ihr feiert.

Dietlinde: Da werdet Ihr was Rechtes hören. Feste, was man so Feste nennt, kennt Bechelären nicht, Turnier und Tjost und Buhurt und dergleichen; Prunk und Staat und Teppiche von den Altanen haben wir nur dann, wenn liebe Gäste kommen. Wir feiern unsre Feste mit den Bauern. Christfest und Ostern, Pfingsten, Sonnenwende, so wie sie fallen. Das schönste aber ist das Fest des Frühlings. Da ziehen alle Burschen vor die Burg mit grünen Reisern, Blumen auf den Hüten und holen mich hinab ins Dorf. Ich darf mich ja nicht weigern und muß mit ihrem Führer gehn. Sie suchen ihn mit Sorgfalt aus, er reicht mir seine Hand, ganz wie ein Ritter, vielleicht noch zierlicher, und geleitet mich, so wie ein Hahn die Henne. Fast stolpert er vor Eifer, sich recht manierlich neben mir zu drehn. So ziehen wir durchs Dorf, und dabei singen die andern, schwenken grüne Büsche . . . ich muß Euch's zeigen. Reicht mir Eure Hand!

Giselher: Die hier!

Dietlinde: Nein, die Linke.

Giselher: Gut, und jetzt, nun nehmet Eure ganze Würde zusammen und schreitet Euren königlichsten Schritt. (Sie machen ein paar Schritte.) Noch königlicher! Dazu singen sie:

> Es stehet schon das Veigelein
> Im grünen Hag . .
> Was da im Walde singen mag,
> Stimmet dem andern ein . .

(Hagen, der während des Endes des letzten Auftritts die Treppe zum Altan herauftam und halb hinter den Säulen verborgen zu= gehört hat, tritt vor.)

Hagen: Recht so, recht so; in ernsten Zeiten muß man Fröhlichkeit bewahren wie ein Lämpchen, das aus= zugehen droht.

Dietlinde (hat einen leisen Schrei ausgestoßen und zieht sich halb hinter Giselher zurück.)

Giselher: Warum: in ernsten Zeiten! Ich denke, wir fahren zu einem Fest an König Etzels Hof, und rings ist Fried' im Land'!

Hagen: Sagt' ich nicht: Fest?

Giselher: Du sagtest: in ernsten Zeiten.

Hagen: So versprach ich mich: ich wollte sagen Fest. Es geschieht mir manchmal, daß meine Zunge sich empört und anders spricht, als ihr der Kopf befiehlt. Ich wollte sagen Fest. Doch um so mehr bedarf's der Fröhlichkeit. Laßt euch nicht stören, ich sehe gern der Jugend zu.

Dietlinde: Giselher, mich friert.

Giselher: Die Laune ging uns aus.

Hagen: Ihr war't dabei, ein Reigenlied zu singen. So Hand in Hand gabt ihr ein schönes Bild. Und einer stand dabei und schlug den Takt.

Giselher: Dort hinten du, und du verstandest uns aus dem Takt zu bringen.

Hagen: Ich, ich bin der Winter, und ich weiß, daß man mich nirgends liebt. Der bei Euch stand, war der Frühling.

Giselher: Jetzt ist er fort, und unsre Hände finden sich nicht mehr.

Hagen: Ihr tut dem Manne unrecht, der immer einsam war, und dem das Glück nie lächeln wollte. Kann ich dafür, daß es mich floh.

Dietlinde: Giselher, er lästert das Glück.

Giselher: Es wär bei dir erfroren, drum floh es dich.

Hagen: Ich trug dich auf den Armen, als du noch klein warst, Giselher, dein blonder Kopf lag hier an meiner Schulter. Du dankst mir schlecht die große Liebe.

Giselher: Du sprichst, als wolltest du ins Kloster gehn.

Dietlinde (flüsternd, ergreift seine Hand): Seine Augen, sieh, seine Augen, Giselher. Die sprechen anders.

Hagen: Ihr seht mich an, Dietlinde, als wäre ich ein Wolf, dem Ihr im Wald begegnet.

Dietlinde (von ihm gebannt): Ich kann Euch nicht verstehn.

Giselher: Sie fürchtet dich. Drum geh! So geh doch! Was willst du hier?

Hagen (wendet sich halb ab): Nie hörte ich das Wort; ich danke dir. So viel ich auch bewirkte, dies Wort vernahm ich nicht.

Dietlinde: Eure Augen, Hagen!

Hagen: Kann ich für meine Augen? Hab' ich sie mir in diesen Kopf gesetzt? Kann ich dafür, daß sie erglühn, wenn ich Gedanken fasse. Ich seh' scharf und schärfer wohl als andre. Ist dies Sünde? Bloß, daß ich kam und euch im Reigen störte, dies bracht' euch näher als die ganze lange Zeit, die ihr vorher allein war't. Kann ich dafür, daß ich dies sehe.

(Giselher und Dietlinde sehen sich, immer noch Hand in Hand, an.)

Hagen: Ihr reichtet euch vorher die Hand zum Spiel, doch nun habt ihr im Ernste euch vereint, zum Schutze vor Gefahr. Die Gefahr bin ich. Doch, der ich euch Gefahr bin, sage euch kraft meines scharfen Blickes, daß ihr euch liebt. Kann ich dafür, daß ich dies sehe? Nun, ihr vertragt mein Auge nicht; ich geh'.

Giselher: Dietlinde!

Dietlinde (läßt seine Hand fahren und wendet sich ab).

Giselher: Dietlinde!

(Hagen ist langsam bis zum Altan geschritten.)

Dietlinde: Herr Hagen!

Hagen (als ob er nicht verstände): Ja, ja, ich gehe schon!

Dietlinde: Ihr sollt bleiben.

Hagen: Den Kindern sieht man solche Launen nach. Wollt ihr, daß man euch mit dem Recht der Kinder den Namen Kinder gibt. Erst schickt ihr mich davon, dann ruft ihr mich zurück.

Dietlinde: Ich will . . ich möchte . . daß du bleibst, damit wir . . .

Hagen: Ganz recht! o Kinderlaune! Zuvor bliebt ihr allein und fragtet nicht nach Hagen; es störte euch, als er erschien. Nun möchtet ihr ihn halten.

Dietlinde: Zuvor . . . ja das . . doch jetzt.

Hagen: So hab' ich recht gesehn? Ihr liebt euch?

Giselher: Dietlinde, so viele Tropfen Blutes in meinen Adern fließen, so viele Tropfen jubeln, jauchzen bang und glücklich. Nun weiß ich es, ich ahnte dich, nun hab' ich dich und lasse dich nicht eher, bis du mir Antwort gibst: Hat Hagen recht gesehn?

Dietlinde (wendet sich gegen Giselher, mit einem tiefen Blick): Ich glaube, er sah recht.

Giselher (jubelnd): Dietlinde! (Er zieht sie an die Brust und küßt sie auf die Stirn.)

Hagen (zu sich): Hagen, mein Freund, das hast du gut gemacht. Verbeug dich vor dir selbst.

Giselher (geht auf ihn zu und reicht ihm die Hand): Hagen, ich danke dir.

Hagen: Das erstemal, daß mir ein Nibelunge dankt. Nun, Dietlinde, sind meine Augen immer noch so grimm?

Dietlinde (furchtsam): Ich glaube jetzt, daß Ihr auch wißt, was . . (sie quält sich ab).

Hagen: Ja, ja, mein Kind, ich weiß es, daß ich weiß. Fänd' ich so leicht die Worte für Freundlichkeiten und für Schmeicheleien, so sagt' ich, daß ich gleich, als ich euch noch beisammen stehn sah, gezwungen war zu denken: diese beiden, kein passenderes Paar zu einem heitern Bund. Es freut mich, daß sich wiederum ein edler Stamm den Nibelungen zuneigt. Reicht euch die Hände, sprecht mir nach: wir schwören uns Treu' und Lieb' für immer.

Giselher: Für immer Lieb' und Treu'.

Dietlinde: Für immer Lieb' und Treu'.

(Während dieses Auftritts ist der Abend angebrochen. Mannig= faltiges Spiel der Abendbeleuchtung. Jetzt ist die Sonne so tief, daß die Wolken über den Waldbergen drüben zu glühen beginnen. Roter Widerschein [nicht direkte Beleuchtung] erfüllt das Gemach und scheint sich um die Gruppe zu verdichten. In den Winkeln schon violette Dämmerungsfarben.)

Hagen: Und nun zu Markgraf Rüdeger.

Dietlinde: Sogleich? Ich bin noch so verwirrt. Gewährt mir Aufschub!

Hagen: Wir sind auf Reisen, vielebles Fräulein! Auf Reisen ist uns wenig Zeit vergönnt.

Giselher: Mein Glück ist also rasch gestiegen, daß es taumelt. Laß uns ihm eine Stätte der Gewißheit geben, wo es von seinem raschen Flug veratmet.

Volker (kommt von hinten über den Altan): Hier steckt er! Hagen, man vermißte dich.

Hagen: Du kannst ein neues Lied auf eine Hochzeit machen.

Volker: Diese beiden? Jetzt? Bevor wir . . . Hagen, war dies recht von dir?

Hagen: Recht oder nicht recht, es war klug und mußte sein.

Sechster Vorgang.

Rüdeger, Gotelinde, Gunther, Gernot, Dietrich, Hildebrand.

Rüdeger: Ihr gingt, bevor der Garten sich im Sonnengold in aller seiner Pracht Euch zeigen konnte. Wenn der Abend seine Fackeln ansteckt, ist er am schönsten.

Hagen: Ich sah so viel, daß ich erzählen kann, wohin ich komme, der Garten in der Burg von Bechelaren ist ein kleines Wunder. Doch noch ein lieblicheres Wunder hat sich indessen hier begeben.

(Giselher und Dietlinde treten Hand in Hand vor.)

Gotelinde: Dietlind' und Giselher.

Rüdeger: Hand in Hand!

Hagen: Sie haben mich zu ihrem Sprecher auserfehn. So tret' ich vor Euch, Markgraf Rüdeger von

Bechelâren, und Euch, Frau Gräfin Gotelind', und frag'
Euch: Seid ihr gewillt, dem König von Burgund, Herrn
Giselher, Dietlindes, eurer Tochter Hand zu geben, daß er
sie pfleg' und halte als sein ehelich Gemahl. (Pause.) Ihr
schweigt?

Rüdeger: Verzeiht, es kam so schnell, daß ich die
Gedanken, die mir nach allen Seiten auseinanderliefen,
erst wieder um mich sammeln muß. Ihr wollt, Herr
Giselher, Ihr wolltet den königlichen Stamm der Nibelungen
mit meinem schlichten Stamm vereinen. Sie bringt Euch
wenig mehr als einen Namen und einen reinen Schild.
Das andre, das ich ihr geben könnte, wiegt nichts, ver=
glichen mit Euren Schätzen.

Hagen: Der Schatz der Nibelungen liegt im Rhein.
Der zählt nicht mehr.

Rüdeger: Und Ihr, Herr König Gunther? Ist
es Euch genehm, daß sich mein Blut mit Eurem Blut
vermische?

Gunther (unter dem Blick Hagens): Ich wüßte mir
nichts Lieberes.

Rüdeger: Herr König Gernot, wollt Ihr die
Jungfrau aufnehmen, die so wenig an Gut dem Euren
zubringt?

Gernot: Wie Ihr redet! Wie glücklich wär' ich,
bekäme ich ein Weib nach meinem Sinn; ich nähme sie
auch ohne Gut.

(Diener unter Vorantritt Eckeharbs bringen Fackeln, stecken sie
in die eisernen Ringe an der Wand und entzünden auch einige
wenige Öllampen.)

Rüdeger: Da ich gefestet seh' den Willen der
Könige von Burgund, Dietlinde, meine Tochter, auf=
zunehmen in der Burg von Worms, so säum' ich nicht,
der Ehre, die über unser Haus gekommen, froh, die Hand

Dietlindes Giselher zu geben. Euch alle, eble Gäste, lad' ich als Zeugen.

Hagen: So schließt den Ring um sie.

(Während alle den Ring bilden.)

Gotelinde: Dietlinde!

Dietlinde (schmiegt sich an sie): Mutter!

Gotelinde (küßt sie): Liebes, liebes Kind. So liebst du ihn?

Dietlinde: Ich lieb' ihn, Mutter.

Gotelinde: Gottes Segen, mein teures Kind.

(Dietlinde und Giselher treten in den Ring.)

Rüdeger: Ich frage dich, Dietlinde, Rüdegers von Bechelaren Tochter, bist du gewillt, dem König von Burgunden, Giselher, als sein Gemahl zu folgen.

Dietlinde (leise, doch fest): Ja!

Rüdeger: Und dich, Herr Giselher, König von Burgunden, Dietlinde als dein Gemahl mit dir zu führen.

Giselher: Ja!

Rüdeger: Ihr Zeugen, ihr habt gehört?

Alle: Wir haben es gehört.

Rüdeger: So gelob' ich euch einander. (Giselher und Dietlinde küssen sich.) Die Hochzeit wird euch bereitet, bis ihr wiederkommt vom Hofe Etzels, wenn's euch so gefällt.

Gunther: Ich gebe der neuen Tochter unsres Hauses drei Burgen im Odenwald, mit allem Land und allen Bauern, die dazu gehören.

Rüdeger: Kein Land kann ich vergeben. Das Land ist Etzels. Doch geb' ich Dietlind als Morgengabe zweihundert Pferde, mit Gold und Silber beladen, so schwer, als sie es tragen können. (Er spricht mit Ellehard; Ellehard ab.)

Hagen (tritt an die Brüstung des Altans, ruft in den Hof): Ihr Mannen Rübegers und ihr Burgunden, hört. Es haben sich Dietlinde, Rübegers, des Markgrafen von Bechelären Tochter und Giselher, der König von Burgund, soeben im Ring verlobt.

Stimmen: Heil Giselher, Heil Dietlind'!

Hagen: Und merket wohl, ihr Nibelungen! Rübeger, Dietlindes Vater, ist nun unser Freund und Waffenbruder. Sein Schwert ist unsres!

Stimmen (im Hof): Heil Rübeger! Heil den Nibelungen!

Hagen (tritt zurück zu Rübeger): Es ist doch so, Herr Rübeger?

Rübeger: So ist es. Und zum Zeichen, daß es so ist, nehmt von mir, was meiner schwachen Kraft zu geben frommt.

(Die Diener kommen mit verschiedenen Rüstungsstücken.)

Gunther: Was wollt Ihr tun?

Rübeger: Ich folge nur dem Brauch. Doch tät ich's auch, wenn's nicht so Brauch wär'. Hier dieses Streitgewand, Herr König Gunther, tragt, wenn Ihr an König Etzels Hof turniert. Und tragt's noch später recht lang in ernstern Kämpfen.

Hagen: Er wird's schon jetzt gut brauchen können.

Rübeger: Herr Gernot, dieses Schwert ist Euer. Es schlägt durch Eisen und schneidet Knochen glatt entzwei.

Hagen: Auch dies ist gut!

Rübeger: Dir, Giselher, dir gab ich schon das Beste, was ich habe.

Giselher (drückt ihm die Hand).

Rübeger: Nun, Hagen (er weist auf einen Schild, den zwei Diener tragen), Euch geb' ich diesen Schild. Ihr seht, er ist geringer nicht als Eurer.

Strobl, Die Nibelungen an der Donau.   6

Hagen (nimmt ihn auf und prüft ihn): Ein gutes Stück. Mit Spangen wohl versehn und starken Buckeln. Von ihm gedeckt, bin ich so sicher, als säße ich in einem Turm. Ihr weint, Frau Gotelinde?

Rüdeger: Sie weint, wenn sie ihn ansieht. Es ist Nuodunges, unsres toten Sohnes Schild.

Hagen: So fällt auch, wer den Schild sein eigen nennt?

Gotelinde: Er fiel im Kampf für König Etzel.

Rüdeger: Doch nun, ihr Herren, zum kleinen Mahl vor Nacht.

Gunther: Und dann, wenn ihr erlaubt, zu Bett!

Hagen: Wir müssen mit der Morgenröte reiten.

(Alle ab nach links hinten. Die letzten sind Hagen und Volker.)

Volker: So soll ich wirklich ein Lied für eine Hochzeit machen.

Hagen (grimmig lachend): Laß dir Zeit, mein Spielmann, laß dir Zeit! (Ab.)

Dritte Abteilung.

(Hof in König Etzels Burg. Links Gebäude, Saal der Knechte, rechts Portal des Domes mit Treppen. Im Hintergrunde der Haupt-saal, dessen Bogenfenster so breit und hoch sind, daß man den Innenraum zum Teil übersieht. Während der folgenden Szenen bewegtes Leben.)

Erster Vorgang.

Werbel, Schwemmel, Blödel. Heunen, die unter Gebrüll und Vorantragung eines Pferdekopfes über die Bühne ziehen. Einige von ihnen haben ganze Pferdehäute über die Schultern gelegt, andre tragen Pferdeknochen, die sie aneinander schlagen, andre Roßschweife, auf Stangen gebunden.

Schwemmel: Ein lästerlicher Lärm!

Werbel: Dein Kopf ist wohl so hohl, daß er als Paule das Brüllen aufnimmt und verstärkt.

Schwemmel: Getroffen! (Packt einen Heunen.) He, du Schreier, was brüllst du so!

Heune: Laß aus und schreie mit. Bist du kein Heune? Hast du auf unsern Pferdegott vergessen, der Sieg verleiht und Beute gibt.

Schwemmel: Jawohl! (Läßt ihn los.) Da schrei, so lang du willst. So lange Etzel das Schwert nicht aufnimmt, kann dein Pferdegott einstweilen Fliegen fangen.

6*

85

Werbel: Vielleicht gibt's eher Kampf und Beute, als du denkst.

Blödel: So lang Kriemhild an meines Bruders Seite steht, so lange ruht die Welt.

Werbel: Wer weiß?

Schwemmel: Was meinst du?

Werbel: Schwemmel, wenn du nicht gestern wieder toll und voll gesoffen . . .

Schwemmel: Er spricht von toll und voll, als wäre das bei ihm noch nie geschehn.

Werbel: Warum denn nicht? Bisweilen tu ich's gern. Doch wenn es not tut, kann ich nüchtern sein. Wenn man mich braucht, so bin ich gern am Platz und wanke nicht mit leerem Kopf umher wie . .

Schwemmel: Wie ich . .

Werbel: Er denkt schon rascher! Ja — wie du, mit so leerem Kopf, daß er für jeden Lärm zur Pauke wird. Da saß er gestern, saß und trank, und trank und trank noch einmal und merkte nichts von allem, und wenn er etwas merkte, so vergaß er's darauf im Rausch.

Schwemmel: Ich merkte, daß sehr brav getrunken wurde, daß man die Feuer dann entzündete und tanzte und weiter trank.

Werbel: Sonst nichts?

Blödel: Was gab es sonst zu merken?

Werbel: Sagt, Herr Blödel, wo war't Ihr gestern?

Blödel: Ich hatte einen Auftrag auszuführen. Umherzureiten hatte ich im Umkreis von zwanzig Stunden und alle Heunen gewaffnet zum Fest in Etzels Burg zu laden. Neun Tage war ich fort, und gestern ritt ich zurück.

Werbel: Wer gab Euch diesen Auftrag? Etzel selbst?

Blödel: Nein! Frau Kriemhilde gab ihn mir.

Werbel: So habt Ihr nicht gesehn, wie die Burgunden in dieser Burg empfangen wurden. So habt Ihr nicht gesehn — ich weiß, Ihr hättet es gesehn —, daß eine Falte die Stirne unsrer Königin zerschnitt. Ich sag' Euch: eine mörderische Falte. Sie senkte sich tief zwischen ihre Augenbrauen und deutete nichts Gutes.

Blödel: Was soll das heißen?

Werbel: Als man den Zug der Nibelungen von weitem sah, ging Kriemhilde zu König Etzel und schloß sich mit ihm ein. Dann, als sie in die Burg eintritten, kam Kriemhilde allein herab und grüßte sie. Sie grüßte alle, nur Hagen sah sie nicht. Sie grüßte alle, doch nur den jüngsten Bruder, Giselher, den küßte sie. Und als Herr Hagen dieses sah — ich faßt' ihn scharf ins Aug' —, da ging ein grimmes Leuchten über sein Gesicht, er zog den Helm herab und band ihn fester.

Schwemmel: Das hab' ich auch gesehn. Er band ihn fester.

Werbel: Und weißt dir keinen Spruch darauf zu machen?

Blödel: Der Heune ist schwach im Rätselspiel. Auch ich versteh' dich nicht. Sprich deutlich.

Werbel: Nun, Herr Blödel, und all dies Volk in Waffen, das schon seit Tagen auf den Befehl Kriemhilds hier eintrifft, als würde eine Heerfahrt vorbereitet und nicht ein Fest! Und daß Herr Etzel die Gäste nicht begrüßen darf, und daß Frau Kriemhild' den Hagen übersieht und keinen küßt als Giselher! Und das Gebot, daß wir die Panzer tragen unterm Kleid!

Blödel: Nun, was bedeutet das?

Werbel (flüsternd)**:** Sie will ihm an den Leib.

Blödel: Wem?

Werbel: Sie will Herrn Hagen an den Leib. Und wenn sie ihn nicht verlassen wollen, allen.

Blödel: Das glaubst du? Es scheint . . .

Werbel: Sie hat noch nicht vergessen, daß Hagen ihr Siegfried, den Gemahl, erschlug. Glaubt mir, trotzdem sie an Herrn Etzels Seite liegt, ist Siegfried noch ihr Gatte.

Blödel: Kann sein!

Werbel: Es ist. Und noch etwas. Als sie uns beide mit ihrer Ladung an den Rhein entsandte, da sprach sie: Ladet alle, nur Hagen nicht. Wir wollten gehn, da rief sie: Doch, Herrn Hagen auch, er komme mit. Und widerriefs im Augenblick darauf. Und als wir schon im Burghof standen, rief sie uns noch einmal: Setzt alles dran, daß auch Herr Hagen mitkommt. Er muß kommen, doch sagt nicht, daß ich's will. Sagt gar nichts. Er kommt ja wohl von selbst. Hier steht noch einer, der's bezeugen kann, wenn er inzwischen nicht die Erinnerung vertrunken hat.

Schwemmel: Sie sagte: Auch Herr Hagen komme mit.

Werbel: Und als wir wiederkamen, war ihr erstes Wort: Kommt Hagen mit? Da wir's bejahten, da lachte sie so wild, daß ich erzitterte. Das war kein Weiberlachen! Und ward doch drauf so bleich, als reute sie sein Kommen.

Schwemmel: Du machst mich noch ganz dumm.

Werbel: Nicht nötig! Ihr werdet sehn, die Prahlereien Hagens sind zu Ende. Ich bin bereit, zu tun, was sie befiehlt. Denn sie belohnt so königlich, wie sie bestraft.

Schwemmel: Darum gebot sie heimlich, wir sollten Panzer tragen unter dem Gewand!

Blödel: Was Kriemhild will, vermag ich nicht zu sehn; doch muß geschehen, was sie will.

(Rüdeger im Festgewand, von rechts. Er geht quer über die Bühne nach links hinten.)

Werbel: Schweigt!

Schwemmel: Da geht einer, der ist von seiner Trefflichkeit so überzeugt, daß aller andern Tugend nur der Sockel ist, auf dem er sich erhebt.

Blödel: Schmäht ihn nicht. Herr Rüdeger von Bechelâren ist ein Held, vor dem ich mich verneige.

Zweiter Vorgang.

(Eben als Rüdeger vor dem Hauptsaal angekommen ist, kommen ihm die Nibelungen aus dem Hauptsaal entgegen.)

Gunther, Gernot, Giselher, Hagen, Volker (alle in Waffen und gerüstet). Dietrich und Hildebrand (in Festgewändern). Werbel, Schwemmel und Blödel (links).

Gunther: Nun, Rüdeger, so spät? Ihr schlieft wohl bis in den Tag?

Rüdeger: Ich hatte eine schlimme Nacht. Nachdem ich lange mich wie im Fieber schlaflos abgequält, sah ich im Traume Waffen, Flammen, Fratzen; erschreckliche Gesichter. Erst gegen morgen fand ich Ruhe und schlief dann wie einer, der erschlagen liegt.

Dietrich: Man schläft nicht gut in Etzels Burg. Die Nacht hat tausend Stimmen und rasselt wie mit verborgnen Waffen.

Rüdeger (nimmt Volker beiseite): Glaubt Ihr an Träume, Volker?

Volker: Ich muß es wohl. Wir Sänger holen uns're Kunst zumeist aus Träumen.

Rüdeger: Als ich mit Euch aus Bechelâren ritt, da faßte mich, kaum, daß ich meine Burg verließ, ganz plötzlich, ohne Grund, herztiefe Traurigkeit. Ich überwand's, doch kam es in Träumen wieder, drückte mich und zog mich nieder, und immer schwerer wurde mir zu

Mut. Ich weiß nicht, ob man sagen kann, daß dies ein Bangen ist?

Volker: Ich merkt . . . es wohl . . .

Rüdeger: Ein Bangen vor etwas . . . ich weiß es nicht vor was. Als ich auf halbem Wege war, da war es mir, als sollt ich Weib und Kind nie wieder sehn. Und sandte — lacht mich aus! — und sandte einen Boten an Gotelind', sie möchte mit Dietlind' eilends kommen zum Fest an König Etzels Hof.

Volker: Zu diesem Fest . .?

(Etzel und Kriemhilde, von Heunen gefolgt, von links hinten.)

Etzel: Allen meinen Gästen entbiet ich frohen Festesgruß.

Gunther: Wir danken dir und wünschen, daß dies Fest so froh sich ende wie's begann.

Etzel: Das wolle Gott uns geben.

Volker (zu Hagen): Er spricht schon wie ein Christ. Frau Kriemhilds Macht ist groß. Du sollst sehn: Herr Etzel nimmt das Kreuz.

Kriemhilde (hat die Gäste begrüßt und wendet sich nun zu Hagen und Volker): Und ihr, was steht ihr abseits, wißt ihr nicht, daß man die Königin begrüßt, an deren Hof man weilt.

Hagen: Ihr seid so lang' von Worms nun fort, daß ich begreife, es ward Euch fremd, was Sitte ist am Rhein. Wir grüßen nur, wer uns begrüßt. Und wenn die Königin, an deren Hof man weilt, zuerst zu grüßen unterließ, so entbindet sie uns des Grußes.

Kriemhilde: Ich lud Euch nicht an meinen Hof, Herr Hagen, ich grüße nur, wen ich mir lud.

Hagen: Da hättet Ihr geschicktere Boten senden müssen, Frau Kriemhild'! Denen, die Ihr sandtet, stand ihr Auftrag auf dem Gesicht geschrieben.

Kriemhilde: Und trotzdem kamt Ihr?

Hagen: Ich kam ja nicht allein. Ich kam selb-dritt. Hier (auf Volker zeigend) steht ein zweiter Hagen und hier ist (zieht das Schwert halb aus der Scheide) ein dritter.

Kriemhilde: Balmung!

Hagen: Herrn Siegfrieds Schwert. So hab' ich mich vervielfacht. Ihr wißt, wir haben einen Aberglauben, wir Männer vom rauhen Handwerk. Mit den Waffen des Toten, den wir erschlugen, kommt seine Kraft auf uns. So könnte es geschehn, daß — nun, ich setz' den Fall — Herr Siegfried Hagen hülfe wider Kriemhild'.

Kriemhilde: Hagen!

Hagen: Frau Königin!

(Kriemhilde wendet sich ab.)

Volker: Was reizest du sie so?

Hagen: Laß sein, ob ungereizt, ob neuerlich gereizt ist eins.

Volker: Zu grüßen hätte sich geziemt!

Hagen: Sie soll nicht sagen, daß sich Hagen fürchtet, daß er im Verließ der Tigerin recht freundliche Gesichter macht, auf daß sie nicht die Klauen zeige.

Etzel (zu ihnen): Ihr Herren, wem's gefällt, begleite mich auf einem Rundgang um die Burg. Sie steht geschmückt und wartet wie eine Braut, daß man sie lieblich finde.

Hagen: Ja — eine Braut mit derben Knochen und einem Griff wie Eisen. Ich kenn' sie noch recht gut von damals, Herr König, da ich bei Euch als Geisel saß.

Etzel: Seitdem ist ihre Feste noch verstärkt, ich hab' recht viel verändert, recht viel dazu gebaut, doch heute will sie nichts als lieblich sein. Sie hat sich grün und bunt geschmückt und wartet auf ein lobend Wort der Gäste.

Hagen (nachdenklich): Sagt, steht der feste Turm noch, der gen Mitternacht schroff abfällt, und den ein

freier Hof von diesen Hallen trennt, daß kein Feind gedeckt herankommt.

Dietrich: Noch steht der Turm, Herr Hagen. Er
ist ein Meisterwerk an Stärke und Gewalt.

Hildebrand: Er ist der beste Zufluchtsort in
dieser Feste. Wenn der Feind je diese Burg bezwingen
sollte, der Turm dort leistet Widerstand und hält sich,
geht nicht die Nahrung aus, wohl bis zum jüngsten Tag.

Dietrich: Kein Brandpfeil schadet ihm.

Etzel: Doch heut steht er in Rosen und in Seide.

Hagen: So bitten wir Euch, König Etzel, zeigt
uns die Burg in ihrer Pracht.

(Etzel mit Hagen, Volker, Dietrich, Hildebrand, Dankwart und Rüdeger ab. Indem die drei Könige folgen wollen,
werden sie von Kriemhilde zurückgehalten.)

Kriemhilde, Gunther, Gernot, Giselher.

(Im Hintergrund Blödel, Werbel und Schwemmel unter
bewegt ab- und zuströmendem Heunenvolk.

Kriemhilde: Schon wieder wollt ihr gehn und
spracht noch nicht ein Wort mit Eurer Schwester.

Gunther: Was gäb' es zwischen uns zu sprechen?
Dein Empfang war nicht danach, daß wir allein mit dir
der Minne pflegen könnten.

Kriemhilde: Hab' ich euch nicht begrüßt, hab'
ich nicht Giselher geküßt?

Gunther: Doch einen nahmst du aus.

Kriemhilde: Den soll ich grüßen? Was brachtet
ihr ihn her?

Gernot: Weil er zu uns gehört! Wir treten keine
Fahrt an ohne ihn.

Kriemhilde: Doch diese Fahrt, die Fahrt zu
Kriemhild, der er den Gatten schlug, die mußte ohne ihn
geschehn.

Gunther: Nun seh' ich erst, wie gut uns Hagen riet!

Kriemhilde: Was riet er euch?

Gunther: Er riet uns: bleibt daheim.

Giselher: Lieb Schwesterlein, vergiß doch deinen Groll.

Kriemhilde: Mein Giselher! Und liebt' ich dich noch vielmal mehr, als ich dich liebe, und käm' ein Engel, der Engel der Verzeihung, und stellt' sich neben dich und bäte mich: verzeih, und käm Gott Vater selbst und Gott der Sohn und Gott der heilige Geist und sprächen all vereint: verzeih! — ich könnt' es nicht. Mach Weiß aus Schwarz! Das ist nicht möglich, sagst du. Verwandle Drachengift in einen Trank, der deinem Leib gedeiht. Du schüttelst deinen Kopf! Doch alles dies kann eher noch geschehn, als daß ich ihm verzeih.

Giselher: Was willst du tun?

Gunther: Wir müssen gehn. Wir wollen keine Heimlichkeiten haben.

Kriemhilde: Noch eine Frage, eine Bitte, meine Brüder. Bei unsrer Mutter grauem Haupt, bei ihren lieben Augen, die ich seit sieben Jahren nicht gesehn, beschwör ich euch, zieht eure Hand von ihm. Das Haus, das einen Mörder beherbergt, ist besudelt. Befreit mich von der Schmach. Zieht eure Hand von ihm! Der Fluch, der auf den Nibelungen liegt, ist dann gelöst, ihr seid gereinigt, kein Makel befleckt mehr eure lichten Schilde. Zieht eure Hand von ihm!

Gunther: Ob wir befleckt sind, frag ich nicht in diesem Augenblick. Sind wir's, dann würden wir's noch mehr, wenn wir den Mann verraten, der einen Mord beging in seiner Treue gegen uns.

Kriemhilde: Und wenn ich mir ihn fange, da ihr ihn nicht in gutem mir übergeben wollt?

(Gunther zieht sein Schwert. Gernot und Giselher tun es ihm nach.)

- 92 -

Gunther: So viel du blanke Schwerter siehst, so viel füg feinem Schwert hinzu.

(Kriemhilde verstummt. Schweigen.)

Gunther: Steckt ein und kommt. (Sie wenden sich ab und gehen.

Kriemhilde: Giselher!

Giselher: Mein Schwesterlein.

Kriemhilde (zieht ihn an sich und läßt ihn heimlich): Sprich kein Wort, zieh deinen Schimmel aus dem Stall, leg ihm den Sattel auf und reite fort.

Giselher: Lieb Schwesterlein, mein Vater war Herr Gibich! Doch etwas will ich dir vertraun. Ich liebe ... sie ist so schön „als wie der junge Mai" — wie Volker singt! Ich hab' mich ihr verlobt, und auf der Heimkehr soll die Hochzeit sein.

Gunther: Giselher! Hier ist dein Platz.

Giselher: Ich komme!

(Die Könige ab.)

Kriemhilde (sieht ihm nach): Was sagt er da?

Dritter Vorgang.

(Etzel mit Hagen, Volker, Dietrich, Hildebrand, Rüdeger begegnen den Königen, indem diese abgehen wollen.)

Etzel: Du also bist der grimme Hagen?

Hildebrand: Man nennt ihn so!

Etzel: Ich hab' dich im Gedächtnis von der Zeit, als du bei mir als Geisel lebtest. Du warst kühn, kühn war dein Schritt, dein Wort, und kühn war deine Flucht, als du entsprangst. Doch dachte ich dich anders, ganz verändert. Die Sage hat allzuviel von deinem Grimm gesagt. Du bist wohl ernst, doch kannst du auch noch lachen.

Volker: Der Turm gefiel ihm gar so gut.

Hagen: Ich habe zwei Gesichter.

Volker: Lieblich ist keins. Doch ist das andre, das Ihr noch nicht gesehn habt, sein Wochentagsgesicht. Nur Euch zu Ehren läßt er das gute Wetter sehn. Er nahm sich ein Beispiel an Eurer Burg.

(Ortlieb, Ezels Sohn, wird von seinem Erzieher gebracht.)

Ezel: Ihr Könige und ihr, geehrte Gäste, hier seht ihr den künftigen König über Heunenland.

Heunen: Heil unserm König!

Gunther: Wir grüßen dich, klein Ortlieb, und hoffen, daß die Welt noch viel von deinen Taten sprechen soll.

Hagen: Er wuchs aus einem guten Stamm. (Halb zu Volker.) Doch dünkt mich, Hagen wird niemals zu Ortliebs Hofe fahren.

Ezel: Was sagt Ihr da, Herr Hagen?

Hagen: Ich sage, daß ich älter werde, und wenn klein Ortlieb Eure Krone trägt, dann wird der grimme Hagen seine losen Knochen senden müssen, wenn er zu Hofe will.

(Glockengeläute vom Dom.)

Ezel: Wir bitten euch, vielliebe Gäste, geleitet uns zum Dom. Die Messe soll beginnen. (Nimmt Kriemhilde an der Hand. Die Gäste ordnen sich hinter ihnen zum Zug.)

Kriemhilde (macht sich von Ezel los): Halt, König Ezel! Bist du blind? Willst du gestatten, daß deine Gäste die Waffen in die Kirche tragen. In Worms ist's nicht der Brauch. Sie schmähen dich, als seist du noch der wilde Heune, der aus Osten kam und keine Sitte kannte als die des Schwertes.

Hagen: Die Sitten ändern sich, vielliebe Königin. Was wißt Ihr viel von Worms, was jetzt dort Sitte ist. Hat Herr Ezel sich gewöhnt, die Waffen abzulegen, so haben sich die Nibelungen inzwischen daran gewöhnt, die Waffen jederzeit bei sich zu tragen.

Kriemhilde: Die Sitte wird vom Wirt bestimmt und nicht von seinen Gästen. Ihr seid Herrn Etzels Gäste und sollt euch seinem Brauche fügen. Hier bleiben die Waffen vor der Kirchentür.

Hagen: Nun, wenn dies bei König Etzel Sitte ist, warum verbergen seine Heunen die Panzerringe unter der Seide des Festgewandes? Ist dies der Sitte Sinn, sich unbewaffnet zeigen und doch bewaffnet sein. Volker, fang dir einen und zeig, daß wir nicht grundlos schwätzen.

Volker (greift einen Heunen und reißt ihm das Gewand vom Leib. Er steht im Kettenpanzer da.) So sieht der Vogel aus, wenn man ihn rupft.

Kriemhilde (winkt): Nehmt ihm die Waffen ab.

(Ein Heune tritt an Hagen heran und greift nach seinen Waffen.)

Hagen: Du willst dem Igel in die Stacheln greifen, lieber Freund! Das sticht! (Er zieht und schlägt den Heunen nieder.)

(Tumult.)

Hagen: Nun, König Etzel! Hier siehst du mein andres Gesicht.

Volker: Gefällt's dir, König Etzel? Auch ich hab' zwei Gesichter. (Er zieht sein Schwert gegen die andrängenden Heunen.)

Kriemhilde (zu den Heunen): Und ihr ertragt den Übermut und diese Schmach.

(Die Heunen brüllen zornig auf und wollen sich auf die Nibelungen stürzen.)

Etzel (tritt vor die Nibelungen): Zurück! Ihr Rasenden, seid ihr nicht Heunen mehr? Habt ihr vergessen, was das Gastrecht fordert? Der Fremde ist uns heilig. Als noch kein andres Gesetz uns band, stand dies bei

uns als eine Säule fest. Wir nahmen es aus unsern
Wüsten mit und sollten jetzt, da wir so viel dazu gelernt,
gerade dieses erste, das wichtigste, die Wurzel aller andern
vergessen.

Ein alter Heune: Er hat sich dieses Rechts begeben. Er schlug der Unsern einen tot.

Hagen (auf sein Schwert gestützt, neben Volker; beide,
als ob sie der Tumult nichts anginge): Herr Etzel hat so
viel dazu gelernt, daß es Kriemhilde heut verdrießen wird,
ihm so viel beigebracht zu haben. Er spricht ja wie ein Buch.

Etzel: Ein Mißverständnis war's. Die Helden
sind empfindlich. Sieht einer uns mit schiefen Blicken
an, so geht es gleich um unsre Ehre, und streckt nach
unsern Waffen einer die Hände aus, so glauben wir, es
gilt dem Leib. Auch ich war einst so kitzlich, als ich noch
jünger war.

Der alte Heune: Vergeltung, König Etzel, für
das Blut!

Etzel: Wer noch ein Wort hier von Vergeltung
redet, den laß ich augenblicklich an vier Hengste binden,
mit jedem Glied an einen und lasse ihn zerreißen. Ein
Mißverständnis war's. Ich, König Etzel, sage: es war
ein Mißverständnis! (Er scheucht die Heunen mit einer Hand-
bewegung zurück und steht fürchterlich vor ihnen, daß sie still-
schweigend folgen und den Toten mitnehmen.)

Dietrich (zu Hagen): Ihr stacht in einen Wespen-
schwarm, Herr Hagen.

Hagen: Die Wespen waren schon bereit, zu schwärmen,
auch wenn ich nicht gestochen hätte. Ihr habt mich doch
gewarnt!

Dietrich: Ich mahnte Euch zur Vorsicht, nicht zum
Übermut.

Hagen: Merkt's Euch für später. So fällt's nun
einmal aus, wenn man mich warnt.

(Neuerliches Glockengeläute.)

Etzel: Ihr Herren, wenn's gefällig ist, zur Messe! (Geht mit Kriemhilde die Stufen zum Dom hinan.)

Hagen (zu Volker): Komm, Volker, wir wollen als Ehrenwache an der Pforte stehn. (Eilt dem König voraus und stellt sich mit Volker an das Portal, so daß nur ein schmaler Durchgang frei bleibt.)

Kriemhilde: Gebt Raum!

Hagen: Frau Königin, wir wissen, daß Ihr gar so gern uns nahe seid. Wir bieten Euch Gelegenheit dazu.

Kriemhilde: Gebt Raum!

Hagen: Glaubt Ihr, ein Sarg ist weiter und bequemer als dieser Spalt hier zwischen uns. Ein jeder hat in seinem Sarge Raum, warum wollt Ihr, die Ihr dem Sarg doch nicht entgeht, mehr Raum als diesen Sarg.

Kriemhilde: Gott segne Euren Übermut, Herr Hagen, und erhalt' ihn Euch!

(Hagen tritt verblüfft zur Seite. Kriemhilde tritt in das Münster, Etzel mit Ortlieb und die übrigen folgen. Hagen und Volker zuletzt.)

Vierter Vorgang.

(Werbel, Schwemmel und Blödel kommen wieder aus dem Hintergrund.)

Werbel: Habt Ihr das alles recht gesehn, Herr Blödel?

Blödel: Ich hab's gesehn.

Werbel: Und miteinander fest verbunden, daß eins das andre stützt.

Blödel: Es ist kein Zweifel, du hast recht.

Schwemmel: Es wirbelt mir im Kopf, als hätt' ich drei Tage und drei Nächte nichts getan als einer Hochzeit aufgespielt.

Werbel: Habt Ihr gesehn, wie er sie höhnte. Wie er sie mit Balmung reizte, ihres Gatten Schwert.

Blödel: Der Hund!

Werbel: Wie er sich an sie drängte, wie er ihr ins Gesicht sein Lachen warf, gleich giftigen Pfeilen.

Blödel (knirschend): Der Hund! Ich schneib' ihm seinen Kopf ab, zieh' ihm sein Hundefell vom Leibe, daß alle Muskeln blutig zucken. Ich häng' ihn lebend über ein kleines Feuer und röste seine Sohlen. Wenn mein Bruder nicht vor ihn getreten wäre, ich hätte ihn mit bloßer Hand erwürgt.

Werbel: Er tat, als wollte er, wenn je Kriemhilde seine Tat vergessen, mit allem Hohn ihr die Erinnerung wecken.

Blödel: Doch hat sie nicht vergessen. Ich sah es klar. Wie töricht: ich dachte schon an sie . . . wenn Etzel stirbt . . . denn Kriemhild ist ein edler Schmuck, der nichts verliert, wenn er durch vieler Hände geht.

(Der alte Heune geht zu dem Platz, an dem der Hunne getötet wurde und zieht mit dem Schwert einen Kreis um den Blutfleck in den Stein des Hofes.)

Werbel: Was tust du dort?

Der alte Heune (sieht auf): Was ich hier tue? Ich sag' es Euch, obwohl ich dort Herrn Etzels Bruder sehe. Er mag es nur dem König sagen. Wir wollen sehen, ob Etzel so der alten Hunnenart vergessen, daß er den straft, der sie befolgt.

Blödel: Sprich!

Der alte Heune: Ich hege nach alter Sitte dieses Blut und banne es. Nicht eher soll dieser Fluch vom Steine schwinden, bevor nicht unser Schwert vergolten hat.

Blödel: So tust du recht!

Der alte Heune: Ihr gebt mir recht? Kann ich das den andern sagen, die sich mit mir verbunden, die Schmach zu tilgen?

Strobl, Die Nibelungen an der Donau.   7

Blödel: Sag es ihnen.

(Der alte Heune ab. Er begegnet rechts hinten Dankwart, der ihn verwundert anblickt und ihm dann nachsieht.)

Werbel: Das ist Herr Dankwart, Hagens Bruder.

Dankwart: Was sah mich der so an? Ich hab' in diesen beiden Tagen recht viel an grimmen Blicken schon gesehn, doch dieser war scharf und spitz und schnitt wie ein Messer.

Blödel: Er mag Gründe haben, die Nibelungen nicht freundlich anzusehn.

Dankwart: Was lud man dann die Nibelungen als Gäste ein?

Werbel: Es sind recht liebe Gäste.

Dankwart (drohend): Was soll das?

Schwemmel: Seht, dort steht die Antwort in roten Lachen auf dem Boden!

Dankwart: Blut?

Blödel: Von Hagen, Eurem Bruder, rührt die Zeichnung. Er hat die Burg befleckt.

Dankwart: Ihr seid des Königs Bruder?

Blödel: Der bin ich!

Dankwart: So trachtet ihm in diesem Stücke nach, daß Ihr mit klaren Worten sprecht.

Blödel: Nun, so klar Ihr wollt: Er zog das Schwert und schlug der Unsern einen tot.

Dankwart (leise): O, Hagen! (laut) Und dieses Todschlags Ursach'.

Blödel: Übermut.

Dankwart: Was andern Übermut erscheint, das hat bei Hagen sicher seine Ursach'. Ich kenn' ihn gut. Seht, mit dieser Axt (er greift nach einer Streitaxt in den Gürtel) trenn' ich sogleich die linke Hand vom Leibe, tät's Hagen ohne Not.

Blödel (fieht die Art erstaunt an): Woher, Herr Dankwart, habt Ihr die Art?

Dankwart: Woher? Von einem Hunnen!

Blödel (immer erregter): Wann und wie, verzeiht, daß ich Euch frage!

Dankwart: Ich hab' mich nicht zu schämen. Als ich noch jünger war als jetzt, da sandten mich die Könige als Boten an den Hof des Gotenkönigs. Und da die Heunen eben ins Reich ihm schwärmten, half ich ihm im Kampf. In einem Schilfbruch kam's zum Kampf. Die Goten siegten, und die Heunen mußten fliehn, denn Etzel führte nicht die Schar. Abends ritt ich einsam durch den Bries. Da jammert etwas neben mir. Ein Heune war's, der wund im Sumpfe stak. Da dacht' ich: tu' mit ihm, wie sie mit uns, und schlag' ihn völlig tot. Doch, Herr, ich bin ein Christ, so tat ich's nicht; ich stieg vom Pferd und half ihm aus dem Sumpf, verband ihn und bracht' ihn auf den Weg zu seiner Schar; denn ich wußte, wenn ich ihn zu den Goten brächte, so würde er getötet gleich allen, die man gefangen nahm.

Blödel: Und er, er dankte Euch.

Dankwart: Er sprach mir etwas, das ich nicht verstand.

Blödel: Und schenkte Euch die Streitart!

Dankwart: So geschah's.

Blödel: Habt Ihr den Heunen angesehn?

Dankwart: Er war ein Heune wie jeder andre. Etwas reicher wohl gewaffnet . . .

Blödel: Und Ihr verstandet nicht, was er Euch sagte?

Dankwart: Nein!

Blödel: Er sagte, nimm die Streitart und sei mir ein Bruder.

Dankwart: Wie wißt Ihr dies?

7*

Blödel: Weil ich es selber sagte. Ich bin der Heune, den Ihr gerettet habt.

Dankwart: Ihr?

Blödel: Bruder!

Dankwart (zögernd): Ich weiß nicht . . .

Blödel (nimmt seine Hand): Ihr dürft mir trauen. Ich führte jene Schar, die damals unterlag. Wir kehrten wieder unter Etzels Führung und vernichteten das Gotenreich. Ich suchte Euch, ich suchte unter den Gefallenen und unter den Gefangnen, — Euch fand ich nicht!

Dankwart: Nun findet Ihr mich hier!

Blödel: Herr Bruder!

Fünfter Vorgang.

(Die Pforten des Doms gehen auf, und der Zug der Beter kehrt zurück. König Etzel voran, zu seiner Rechten Gunther, dann Kriemhild mit Dietrich, Gernot mit Lisellen, zwei heunische Edle, Volker, Hagen, zwei Heunen, Hildebrand mit Rüdiger. Auf dem Hofe angekommen, löst sich der Zug in Gruppen auf.)

Schwemmel: Die Messe ist zu Ende.

Werbel: Dein Geist ist fürchterlich geschwächt, mein Freund; doch sag mir lieber, was denkst du von diesem Wiedersehn? Bist du gerührt?

(Schwemmel zuckt die Achseln.)

Volker: Ich ließ sie die ganze Messe über nicht aus den Augen. Sie hielt den Kopf gesenkt, so daß die weiße Stirn das rote Tuch der Bank berührte, und vermied es, uns anzusehn. Doch sie vermied es auch, das Zeichen des Kreuzes auf Stirn und Brust zu machen. Und als die Wandlung kam und vom Altare her die

Silberglocken klangen, da zuckte sie zusammen, als träfe sie ein Schlag. In diesem Augenblick, der aller Sünden frei uns finden soll, verharrte sie in ihrer Sünde.

Hagen: Geschwätz!

Volker: So ist der Sinn des Opfers. Christus hat die Welt erlöst und zur Erinnerung die Messe eingesetzt.

Hagen: Das schiert Kriemhilde viel. Sie denkt an andre Messen, die sie heute noch stiften wird, und bei denen nicht Wein das Blut ersetzt.

(Kriemhilde mit Rüdeger ein wenig abseits.)

Rüdeger: Ihr gabt mir einen Wink, Frau Königin, und ich verstand und gesellte mich zu Euch.

Kriemhilde: Ich muß Euch etwas fragen, darauf Ihr mir sicher Antwort geben könnt.

Rüdeger: Gern, vieledle Frau, wenn ich's vermag.

Kriemhilde: Ihr seid der beste Freund der Nibelungen. Ihr seid stets um sie herum, als wär't Ihr heimlich den Königen verbunden. Mit Euch in eifriges Gespräch vertieft, bemerken sie die Schwester nicht. Ich kann die Worte an den Fingern zählen, die sie mir gaben. Nun, da Ihr so mit ihnen steht, so wißt Ihr wohl auch Bescheid in einer Sache, die mir nahe geht. Mein Bruder Giselher warf mir so hin: ich habe mich verlobt und denke an die Hochzeit auf der Heimkehr. Was bedeutet das?

Rüdeger: Es ist die Wahrheit, Königin. Er ist verlobt und darf an seine Hochzeit denken.

Kriemhilde: Wer ist die Braut?

Rüdeger: Dietlinde, Eures Dieners Tochter.

Kriemhilde (sehr betroffen): Eure Tochter?

Rüdeger: Und davon sprach noch keiner? Sie schämen sich doch nicht? Muß ich der erste sein, der ihrer

Schwester dies eröffnet. Es war die Pflicht der Brüder, dies zu tun.

Kriemhilde: Nun, da Ihr den Königen so nahe steht — die später Auserwählten, die wir nach freiem Willen uns verbanden, stehn immer näher als die leib=lichen Verwandten, die man sich nicht erwählen kann — so wird Euer Rat hoch eingeschätzt bei Giselher. Geht drum hin und nehmt ihn abseits und gebt ihm einen Auftrag an Eure Tochter. Und er soll schleunig reiten. Und keinen Aufschub dulde dies Geschäft.

Rüdeger: Warum das, edle Frau?

Kriemhilde: Fragt nicht, Rüdeger, tut, was ich sage. Noch in dieser Stunde soll er reiten und soll nicht umsehn. Gebt ihm eine Locke von Eurem Haar mit, sagt, an seiner Schnelligkeit sei viel gelegen; er soll nicht umsehn, wie Lot nicht umsehn durfte.

Rüdeger: Er wird nach Gründen fragen.

Kriemhilde: Gebt ihm Gründe. Sucht sie, wo Ihr wollt. Geht! Geht! (Wendet sich von ihm.)

Rüdeger: Sonderbar! (Taucht unter die Gruppen der andern.)

Etzel (zu Gunther. Seine Hand liegt auf Ortliebs Kopf): Es ist mein höchstes Gut. So lange stand der Thron der Heunen in Gefahr, als dieser Sprosse fehlte. Nun hab' ich ihn, und wenn Kriemhild nichts andres mir ge-geben hätte, wenn sie verschwunden wäre, wie die Feen verschwinden, die Menschen sich vermählten, bis an mein Ende hätte meine Dankbarkeit gewährt.

Gunther: Kannst du schon reiten, kleiner Mann.

Ortlieb: Ich hab' ein Pferd mit schönen, goldnen Glocken, so klein . . . komm mit, ich zeig' es dir.

Giselher (mit Hildebrand): Auch Ihr, verehrter Meister? Ihr scheint verschworen, Ihr, Herr Dietrich und Hagen, dies Fest so düster als möglich zu gestalten. Von links und rechts Geflüster von Gefahr. Und alle

sehen etwas, was nicht ist ... Es kam einmal ein Mönch
nach Worms, barfuß, nur einen einzigen, zerschlissenen
Kittel um den Leib im strengsten Winter. Man raunte
viel von seiner Heiligkeit und bat um seinen Segen. Er
stand im Schloßhof auf den kalten Steinen und lehnt' es
ab, zum warmen Herd zu kommen. Da stand er, schaute
hin, ganz starr, und plötzlich fing er an, mit einer Stimme
die wie Erz erklang: von einem großen Glänzen, von
goldnen Pforten zwischen Rosenhecken, von Engeln, die
in blauen Flügelkleidern um diese Pforten schweben. Und
wies mit seinem Finger hin, wo er das sah. Und wo er hin-
wies, war die Wohnung des Torwarts, und wo die Engel
schwebten, stand Rumolbt und verwunderte sich sehr. Die
andern schauderten; ich lachte, denn er sah etwas, was
nicht war.

Hildebrand: Hier aber ist etwas, hier ist etwas
und steht schon hinter euch.

Giselher: Ihr alle gleicht dem Mönch, nur darin
unterscheidet Ihr Euch von ihm: er sah aus seinem Elend
in den Glanz, ihr wollt aus diesem Fest durchaus in Not
und Elend sehn.

Hildebrand: Wenn man des Kampfes gewohnt
ist, so wie ich, so hat man eine gute Witterung. Nun,
meine Schwerthand zuckt, und das bedeutet: hier gibt es
Kampf.

Giselher: Du glaubst, weil Hagen diesen Heunen
schlug. Das ist geschlichtet, Etzel selbst hat es doch beigelegt.

Hildebrand: Seht Eure Schwester an. Seht Ihr
nicht, wie düster ihre Augen sind?

Giselher: Ich seh's — sie haßt den Hagen. Doch
weiß sie nun, daß wir ihn nicht verlassen. Und daß sie
ihre Brüder treffen muß, wenn sie ihn treffen will, daß
wir die Schläge, die ihm vermeint sind, unter uns ver-
teilen. Ihr sollt es sehn, es wird noch alles gut. Kriemhilde liebt die Brüder.

Hildebrand: O schöne Unbedachtsamkeit der Jugend.

(Zwei Herolde mit Drommeten. Dreimalige Rufe.)

Herold: Das Turnier beginnt. Im Namen König Etzels: Wir laden alle Gäste dazu ein, ob sie aus Ost, aus West, aus Nord, aus Süden kamen zu Ehren unsrer Königin, der edlen Frau Kriemhilde, in die Schranken zu reiten und eine Lanze dort zu brechen. (Von links hinten geht der feierliche Zug der Turniergäste über den Hintergrund der Bühne nach rechts, wo der Turnierplatz zu denken ist. Die auf dem Hofe Versammelten geben die Mitte frei und ziehen sich nach links und rechts auf die Stufen der Halle und des Domes hinauf. König Etzel, Kriemhilde, Gunther, Gernot, Giselher, Dietrich und Rüdeger auf den Stufen der mittleren Halle. Die Turniergäste reiten mit steil aufgestellten Lanzen an ihnen vorbei. Geschrei:) Etzel! Kriemhilde!

Etzel (ruft ins Getümmel): Und Ortlieb, meine Treuen!

(Jauchzende Rufe:) Ortlieb! Ortlieb!

(Hagen und Volker links auf den Stufen der Halle.)

Volker: Sie bleiben ein armseliges Gesindel, wenn sie auch mit Seiden und mit Pelzen sich verbrämen. Was hat sie denn so fürchterlich gemacht?

Hagen: Die Masse! Das ist bei ihnen das Schreckliche, daß keiner etwas gilt und keiner auf sich hält, wenn der König befiehlt. Wir zaudern und überlegen, ob wir folgen sollen. Das kennt der Heune nicht. Und wenn Herr Etzel wollte, so stiegen alle diese Ritter von den Pferden, legten sich zu Boden und ließen sich von ihren eignen Rossen zertreten.

Volker: Sieh dort den Kleinen an, wie der die Lanze schleppt.

Hagen: He, Lanze! wo willst du mit dem Helden hin?

Volker: Nun wird es besser. Das sind Amelungen, Herrn Dietrichs Leute.

Hagen: Ich wollte, wir hätten die nicht gegen uns.

Volker: Und das sind Ritter aus unsres neuen Freundes Bann, die Riesen aus dem Donautal.

Hagen: Ich hab' mir ausgespäht, wo wir vor allen sicher sind. Kommt's zum Kampf, so ziehn wir uns in jenen Turm, dort sind wir sicher vor Brand und aller Heunen Wut. Doch will ich vorher Herrn Rüdeger noch sprechen. Ich möchte ihn an unsrer Seite nicht vermissen.

(Der Zug ist zu Ende. Die auf dem Hofe Anwesenden folgen nach. Etzel und die übrigen gehen durch die Halle ab.)

Volker: Komm, wir wollen diesen Spott auf ein Turnier besehn. (Ab rechts.)

Sechster Vorgang.

(Einen Augenblick ist die Bühne leer. Dann Rüdeger mit Giselher aus der Halle.)

Giselher: Jetzt bist auch du schon unter die gegangen, die hier geheimnisvoll mit halben Stimmen zuflüstern und beiseite nehmen.

Rüdeger: Ich weiß nicht, was die andren zu flüstern haben und tu's, bei Gott nicht gern. Doch dies, was ich dir hier zu sagen habe, gehört nur dir und keinem andern.

Giselher: Ich bin dir gern zu Diensten.

Rüdeger: Reite heim und reite alsogleich und triffst du Gotelind und Dietlind auf dem Wege, so sage . . . . so sage . . . . es wäre gar nicht nötig, daß sie hierher kämen, sie sollten umkehren unter deinem Schutz.

Giselher: Das gab dir Kriemhild ein.

Rüdeger: Du fragst geradezu! Man hat mir nicht geboten, auch noch zu lügen. Doch da du die

Sicherheit der Antwort schon in der Frage zeigst, so sei es mir erlaubt, zu schweigen.

Giselher: Zum zweitenmal! (Steht sinnend.)

Rüdeger: Nun geh und reite und vergiß nicht: sie sollen umkehren unter deinem Schutz. Es wird mir schwer und immer trüber . . .

Giselher: Mein lieber Vater, meiner Dietlind Vater, du einziger von allen Helden, der würdig ist, Herrn Gibich mit diesem Namen nachzufolgen: dies ist dein erster Auftrag, den du mir erteilst. Ich freute mich des Augenblicks, in dem ich dir zum erstenmal dienen könnte. Ich lechzte nach Befehlen, um dir zu zeigen, wie ich dich verehre, indem ich sie befolge, als hätte eine Stimme vom Himmel mir gesprochen. An deiner Seite ritt ich und hing an deinen Lippen. Du schwiegst so gütig und befahlst mir nichts. O hättest du gesagt, hol mir aus jenem brennenden Gebäude die Reiherfeder, ich hätte sie dir unversehrt gebracht. Hättest du befohlen: spring hier von diesem Felsen mit deinem Rosse in die Donau. Gepanzert, wie ich war, hätt' ich's getan. Doch diesen Auftrag, den du jetzt mir gabst, erfüll' ich nicht. Ich kann ihn nicht erfüllen.

Rüdeger: Was soll das, Giselher?

Giselher: Frag mich nicht, mein Vater. Wenn du's bis jetzt nicht weißt, so wirst du — will es mir jetzt erscheinen — nur zu bald erkennen, was alles dies bedeutet. (Ab.)

(Hagen und Volker kommen. Rüdeger. Während des ganzen Auftrittes von Zeit zu Zeit Lärm des Turniers, Rufe usw.)

Hagen (sieht Giselher nach): Hallo, da gab's wohl Zank. So bald schon.

Rüdeger: Nichts dergleichen. Doch sonderbar erschien sein Wesen, fast verstört.

Volker: Schon vor der Hochzeit?

Hagen: Laß deine Spielmannsscherze! Von dieser Hochzeit später. Ich glaube, auch in Giselher beginnt es schon zu dämmern.

Rüdeger: Ein seltsam Angesicht hat dieses Fest. Ganz runzlig, voller Falten, wie ein verschmißter Alter, von dem man sich nichts Gutes erwarten kann. Und jede Runzel voller Heimlichkeiten, und jede Falte voller Winke, die man nicht versteht. Man schickt mich hin und gibt mir einen Auftrag, der etwas verbirgt. Ich überbringe diesen Auftrag und bekomme eine Antwort, die wiederum ein anderes verbirgt. Nun kommen Freunde und ergehen sich in dunkeln Worten.

Hagen (legt ihm die Hände auf die Schultern): Ihr edelster von allen Helden, die ich kenne! Ihr Heldenhaftester, wenn das Vertrauen zum Heldentum gehört!

Volker: Kindgemüt des reinsten Glaubens voll! Verrat und Niedertracht ist Euch so fern, wie Mitternacht dem hellen Schein des Mittags. In Eurer Welt gibt's keine Schatten. Erhebt sich diese Harfe noch einmal zu einem Sang von Ehre und von Ruhm, so gilt er Euch.

Rüdeger: Was wollt Ihr? Ich begreif' Euch nicht . . .

Volker: Ihr selbst erzähltet mir von Ahnungen und düstern Träumen . . .

Hagen: Die düstern Träume haben recht.

Rüdeger: Nun werde ich es endlich wohl erfahren. Dieses Fest . . .

Hagen: Hat Kriemhilde ihrer Rache nur bereitet. Sein seltsam Angesicht verbirgt den Mord. Ich glaube, die Stunde ist nicht fern, in der die Maske fällt.

Rüdeger: Nimmermehr, das tut Kriemhilde nicht. Und König Ezel nicht. Sie liebt die Brüder.

Hagen: Doch haßt sie Hagen. Und da die Brüder Hagen schützen wollen, so sind sie ihrer Rache mit verfallen.

Volker: Herr Hagen sagte sich von ihnen los. Doch die Nibelungen ergriffen seine Hand und zwangen ihn zu sich.

Hagen: Nun, Rübeger, die Zeit ist da, die Eure Freundschaft erproben will. Ihr seid' uns noch vertraut, Ihr habt uns zugeschworen; ich mahne Euch an Euer Wort.

(Rübeger schweigt. Vom Turnierplatz großer Waffenlärm und Zurufe.)

Hagen: Zu Wasser und zu Land gilt Euer Wort. Man zahlt in diesen Landen mit Eurem Wort. Nun, Rübeger, wir haben einen Schatz davon. Mit Euren Mannen steht Ihr zu uns!

Rübeger: O unglücksel'ger Tag, da das geschah, was mir in meinem ganzen langen Leben bis jetzt das Liebste war. Wie kann ich Euch ein Wort einlösen, dem ein andres Wort entgegensteht. Wer konnte dieses Bild der Zukunft sehn? Ich glaub Euch nicht, es kann nicht sein. Und doch; denn warum schickte Kriemhild sonst den Bruder, den sie am meisten liebte, fort.

Hagen: Hörst du Volker, sie schickte Giselher von hier. Wirf die Geige auf den Rücken und nimm den Fiedelbogen von Eisen vor.

Rübeger: Was fordert ihr von mir? Das war ein schlauer Teufel, der diese Qual ersann; er verdiente der Hölle Oberster zu werden.

Hagen: Euer Wort, Herr Rübeger!

Rübeger: Ich bin Herrn Etzels Mann. Ich steh' bei ihm in Dienst und schwor ihm zu und schwor auch Kriemhild zu. Wie kann ich gegen Etzel und Kriemhild fechten? Vielleicht verschont mich noch ein guter Engel. Vielleicht entgeh' ich dem Befehl, die Waffen wider Euch zu heben!

Hagen: Euer Wort, Herr Rübeger!

Rüdeger: Wie soll ich's halten, ohne meineidig drum zu werden? Wie soll ich's brechen und weiche einem Meineid aus? Verschont mich, ich halt' mich fern und halte mich zu keinem. Zweifach meineidig dann?!

Hagen (rasch): Man soll darum das graue Haar Herrn Rüdegers nicht schelten. Und wer es tut, den richte Hagens Schwert. Tut das, bleibt fern. Es ist uns schon genug, bleibt Ihr dem Kampfe fern.

Rüdeger: Dies wäre Euch genug? Und doch, so halt' ich nicht mein Wort!

Hagen: Herr Rüdeger! Und doch, wenn man mich fragt, wer ist der Ehrlichste von allen Helden, ich bleib' dabei: Ihr seid es! Und wer weiß — wenn Ihr zu uns getreten wär't, ganz ohne Zweifel — vielleicht, hätt' ich's dann nimmermehr gesagt. Komm Volker! (Sie gehen dem Turnierplatz zu.)

(Rüdeger. Ekkehard kommt über den Hof.)

Rüdiger (sieht ihn, in Gedanken verloren, erst als er ganz nahe ist): Ekkehard! Mein Ekkehard! Ich habe eine Bitte.

Ekkehard: Herr!

Rüdeger: Wenn du mir jemals treu gewesen bist, wenn du die Gräfin liebst und meine Tochter . . .

Ekkehard: Herr!

Rüdeger: Dann tu', wie ich dir sage! Nimm dein Pferd und reite Gotelind entgegen und sage: wenn sie zu spät nicht kommen will, so mag sie sich beeilen.

Ekkehard: Herr!

Rüdeger: Wiederhole deine Botschaft.

Ekkehard: Wenn sie zu spät nicht kommen will, so mag sie sich beeilen.

Rüdeger: Und reite, reite, als käme hinter dir die Sintflut. Fort! Fort!

(Ekkehard links ab. Rüdiger folgt ihm langsam.)

Siebenter Vorgang.

(Werbel und Blödel von rechts.)

Blödel: Im Auftrag Kriemhilds, sagst du?
Werbel: In ihrem Auftrag. Sie sagte: sogleich und heimlich.
Blödel: Was will sie nur?
Werbel: Das fragt sie selbst. Dort kommt sie.

(Kriemhilde, von Schwemmel gefolgt. Werbel. Blödel.)

Kriemhilde: Mein teurer Schwäher. Ich seh', Ihr folgt noch immer gern und willig auf Kriemhilds Ruf.
Blödel: Man hat mich früh gelehrt: gehorche deinem Bruder, er ist der König. Und ich hab' mich dran gehalten und hab' den eignen Willen fast verlernt. Doch seit Kriemhilde als Königin hier weilt, hab' ich es auch verlernt, dem Bruder zu gehorchen. Nicht mein eigner und nicht der Wille meines Bruders ist nunmehr über mir, und ich bin völlig frei, ganz Eurem Willen mich zu beugen.
Kriemhilde: Ihr sagt die Worte gut!
Blödel: Das dank ich Euch. Was dank ich Euch denn nicht!
Kriemhilde: So wäret Ihr geneigt, mir Eure Dankbarkeit zu zeigen?
Blödel: Beim Pferdegott, dazu bin ich geneigt.
Kriemhilde: So hört denn, lieber Schwäher, meine Bitte. Ihr wißt, ich habe einen Feind, der mir verfallen ist nach dem Gesetze Blut um Blut.
Blödel: Hagen, der Hund!
Kriemhilde: Er wird die Burg nicht mehr verlassen. Doch hat er Freunde, die ihn schützen. Die zu ihm stehn, die müssen mit ihm fallen.
Blödel: Sie müssen fallen.

Kriemhilde: Das Stechen geht zu Ende. Die Herren versammeln sich hierauf zum Mahl in diesem Saal. In jenem Saale (nach dem Saal links zeigend) sind den Knechten die Tische schon bereitet. Die überlaß ich Euch; sie müssen sterben und mit ihnen, der ihnen vorgesetzt ist, Dankwart!

Blödel: Dankwart?

Kriemhilde: Dankwart, Hagens Bruder; Werbel und Schwemmel helfen dir's vollbringen mit so viel Heunen, als du für nötig hältst.

Blödel (kopfschüttelnd): Nein, Königin, für dies Geschäft erwählt Euch einen andern. Für Blödel taugt das nicht.

Kriemhilde: Was redet Ihr?

Blödel: Verlangt von mir, daß ich die Waffen hebe wider Hagen. Ich tu's. Laßt mich den Panzer ausziehn und mit bloßen Händen den Ebergrimmen greifen. Ich tu's! Doch daß ich das Schwert erhebe gegen Dankwart . . .

Werbel (leise zu Schwemmel): Ich dachte so was! Hab' ich's nicht gesagt?

Kriemhilde: So ist denn alles gegen mich verbündet? Wer hilft mir, wer vertritt mich! Da ringsum warten Tausende auf meinen Wink. Die wissen, daß Kriemhilde königlich belohnt. Doch keinen find' ich, der sie führt, als wüßte von all den Führern keiner, was der letzte Heune weiß.

Blödel: Was kannst du Blödel bieten! Ich bin des Königs Etzel Bruder. Und wär' ich bedürftiger als ein Bettelmönch, als ein Aussätziger, der auf der Straße im Staube kriecht, und gäbst du mir das halbe Reich der Heunen, ich könnte meine Hand nicht gegen Dankwart heben.

Kriemhilde: Was fesselt dich an Dankwart?

Blödel: Was hast du gegen ihn? Sieh, sein Bruder ist vogelfrei; er hat auf diesen Steinen Blut vergossen. Ich breche das Gastrecht und erschlag' ihn und Gunther und Gernot und Giselher . . . (Kriemhilde zuckt zusammen) und alle. Nur Dankwart muß ich schonen. Blut um Blut. Doch heißt's auch bei den Heunen: Leben gegen Leben. Und er rettete mir einst das meine.

Kriemhilde: Leben gegen Leben! Das mag für Menschen passen und auch für Mörder; denn immerhin hat auch der Mörder mit Euch gemeinsam, daß er Mensch ist. Doch gilt dies Wort für Wölfe auch, gilt's für des Wolfes Bruder? Wo du auf deinem Wege Wölfe findest, erschlägst du sie. Und so ein Wolf ist Hagen. Durch seine Tat hat er das Menschliche von sich gestreift und steht nun mit allen, die das Blut mit ihm verbindet, bei den Tieren.

Blödel: Du überzeugst mich nicht!

Kriemhilde: Und hätte dir Kriemhilde nichts zu bieten, trotzdem du König Etzels Bruder bist? (Tritt nahe an ihn heran.) Hat Kriemhild nichts als die Geschmeide zu vergeben und die Schätze aus König Etzels Truhen?

Blödel: Kriemhilde!

Kriemhilde: Etzel ist nicht mehr jung. Zwanzig Jahre älter als du. Glaubst du, die schon um ihre Rache so viel getan, vermöchte nicht auch mehr zu tun, wenn König Etzel stirbt?

Blödel: Kriemhild?

Kriemhilde: Geh und töte Dankwart mit allen Knechten. Du meldest seinen Tod mir in den Saal, wenn wir beim Mahle sitzen. (Ab nach rechts.)

(Werbel. Schwemmel. Blödel.)

Werbel: Ein schöner Auftrag!

Schwemmel: Was war das für ein Lohn, den sie versprach?

Werbel: O Schwemmel, dein Verstand ist hin! Mach' ein Lied darauf! Zum Liedermachen bedarf's nicht des Verstandes.

Schwemmel: Sag das einmal Herrn Voller.

Achter Vorgang.

(Dankwart mit den Knechten. Werbel. Schwemmel. Blödel. Hunnen kommen in Gruppen.)

Dankwart: Hier in dem Saal ward euch gedeckt. Begebt euch an die Tische. Und haltet euch zurück. Laßt euch in keinen Streit mit Heunen ein.

1. Knecht: Herr, dieses freche Volk . . .

Dankwart: Schweig! Es ist der Wille Gunthers.

2. Knecht: Schau', wie die Kerle nach uns schielen.

Dankwart: Die Augen hat ihnen Gott so schief gestellt.

3. Knecht: Daran hat Gott sehr wohl getan, man erkennt daran den scheelen Sinn.

Dankwart: Kein Wort mehr. Geht hinein, dann braucht ihr sie nicht anzusehn, wenn sie euch ärgern.

(Die Knechte gehen in den Saal links. Ab und zu einige an den Fenstern.)

Dankwart: Nun, Herr Blödel. Ihr gingt so bald von dem Turnier.

Blödel (unsicher): Ich war, — ich mußte, — wenn man Gäste hat . . .

Dankwart: Es war nicht ruhmreich für die Heunen. Sie reiten viel zu leicht, und auch die Rosse sind zu leicht. Von den schweren Reitern der Amelungen und den Mannen Herrn Rüdegers ward der Sand geschmückt — und ohne allzu große Mühe — mit Heunen, die aus dem Sattel flogen.

Werbel (zu Schwemmel): Gib nun acht! (zu Dankwart:) Doch hoben sie sich wieder vom Sande auf. Käm's im Ernst zum Kampf, so lägen wohl die andern auf dem Sande, doch ständen sie nicht mehr auf.

Dankwart: Glaubt Ihr! Nun, ich hab' schon einen ernsten Kampf gesehn, in dem die Heunen grad' so

Strobl, Die Nibelungen an der Donau.   8

unterlagen, wie heute im Turnier. Fragt nur Herrn
Blödel.

Blödel: Was meint Ihr?

Dankwart: Ihr seid recht seltsam, recht verwirrt.

(Blödel wendet sich ab.)

Werbel (zu Schwemmel leise): Der Freche. Ich mach'
ein Ende! Ist niemand an den Fenstern?

Schwemmel: Niemand.

Werbel: Ich treff' ihn zwischen Helm und Panzer.
(Zieht seinen Dolch.) Seht, wer kommt dort, Herr Dankwart?

Dankwart (wendet Werbel den Rücken zu): Wo?

(Werbel hebt den Dolch.)

Blödel (springt hin und reißt ihm den Dolch aus der Hand):
Feigling!

Dankwart (mit einem Satz zurück; sieht den Dolch in
Blödels Hand): Ach, Herr Bruder, Ihr wollt wohl wieder
dem Freunde eine Waffe schenken. Nun wohl, heut' will
ich das Geschenk erwidern. (Greift nach dem Schwert.)

Blödel: Laßt! (Wirft den Dolch weit weg.) Nein —
diese Waffe ist zu schlecht für Euch!

(Die Herren kommen vom Turnier. Etzel, Kriemhilde,
Gunther, Gernot, Giselher, Dietrich, Rüdeger, Hilde-
brand, Wolfhardt, Amelungen, Burgunder, Mannen
Rüdegers und Heunen. Es wird Abend.)

Etzel: Und nun zum Mahl! Der Tag verbirgt
sich. Und morgen wollen wir das Spiel erneuen.

Hagen: Ja morgen!

Hildebrand (zu Wolfhardt): Ihr habt Euch brav
gehalten.

Wolfhardt: Wenn man nichts Besseres hat, so muß
auch das Turnier genügen. Zwei Heunen brachen das
Genick; ist das auch etwas?

Hagen (zu Kriemhilde): Edle Königin, wir haben
eine frohe Nachricht aufgespart für diesen Augenblick. Ich
frage Euch, ob wir sie bei dem Mahl verlauten dürfen.
Sie füge sich dem Höhepunkt des Festes an.

Kriemhilde: Welche Nachricht?

Hagen: Daß Euer Bruder Giselher sich auf der
Reise nach Worms, auf unsrer Reise nach Haus, vermählen will mit Dietlind, der Tochter Rüdegers.

Kriemhilde: Tut, was Ihr wollt. (Wendet sich ab.

Hagen: Holla, das ging vorbei.

Volker: Sie weiß es wohl schon.

Kriemhilde (bei Blödel): Nun geht an Euer Werk!

Blödel: Ich kann nicht.

Kriemhilde: Könnt nicht. So hab' ich wieder=
um umsonst gehofft. Ich bin verlassen, wie ich nie zuvor verlassen war.

Blödel: Königin! Kriemhilde . . . Ihr . . . Ihr
weint! Gut, es muß geschehn. Dankwart fällt von
meiner Hand.

Kriemhilde: Ich danke Euch. Und vergeßt nicht,
es zu melden.

(Unter dem Vorantritt Etzels und Gunthers — Dietrich folgt
mit Kriemhilde — geht der Zug in die Halle.)

Hagen (wendet sich unter dem Eingang nach Dankwart
um): Dankwart, hüt' unsre Knechte.

Dankwart: Ich hüt' sie wohl!

Neunter Vorgang.

(Dämmerung. In den Hallen Licht, das in breiten Streifen auf
den Hof fällt. Der Hof füllt sich nach und nach mit Heunen.
Dankwart auf den Stufen zur Halle links. In seiner Nähe
Blödel. Werbel und Schwemmel unter den Heunen.)

Der alte Heune (bei Blödel): Herr, wir sind bereit!

8*

Blödel: Gleich! (zu Dankwart): Herr Dankwart, glaubt Ihr an eines Heunen Treue.

Dankwart: Ich glaubte bis heute, daß es Männer gibt, die Treue halten.

Blödel: Und wenn der Mann, an dessen Treue Ihr glaubt, ein Heune ist. Glaubt Ihr, daß es ihm schwerer wird als schlimmste Qual, die Treue zu brechen!

Dankwart: Mag sein! Verzeiht, ich muß zu meinen Knechten.

(Im Hauptsaal lärmende Musik.)

Blödel: Ich danke Euch mein Leben, Dankwart. Glaubt Ihr, daß einer dies so leicht vergißt. Ich habe eine Bitte.

Dankwart: Was wollt Ihr?

Blödel: Ich trug Euch jahrelang im Sinn gleich einem Bruder. Nun fand ich Euch, laßt mich Euch küssen.

Dankwart (sieht ihn zweifelnd an): Mich küssen.

Blödel: Mit einem Bruderkuß.

Dankwart (schweigt, dann): Ihr seid ein Mann, den ich wohl küssen kann. Kommt!

(Sie küssen sich.)

Blödel (macht sich los. Zieht das Schwert und nimmt einem Heunen den Schild ab): Lebt wohl. Nun, Dankwart, müßt Ihr sterben. Ihr und die Knechte. Kriemhilde will's.

Dankwart (springt in den Saal hinein): Hallo, hallo, ihr Knechte, auf!

Blödel: Vorwärts!

(Die Heunen drängen nach. Kampf.)

Werbel: Vorwärts! (Getümmel.)

(Blödel wird schwer verwundet von zwei Heunen über den Hof geleitet.)

Erster Heune: Sitzt er tief?

Blödel: Der Hieb war herrlich. Dankwart, du machst dich heut bezahlt.

Zweiter Heune: Ein fürchterlich Gemetzel.

Blödel: Verbergt mich. Ich kann mein Wort nicht lösen gegen Kriemhilde. (Ab.)

(Die letzten Heunen fliehen über die Stufen hinab. Werbel und Schwemmel flüchten vor Dankwart.)

Werbel: Der Teufel, der den Hagen hat gezeugt, gab auch dem Dankwart von seiner Art.

Dankwart: Dieser Teufel führt Euch noch heut' den Weg zur Hölle. (Über den Hof, die Stufen zur Haupthalle hinan. In den Saal hinein.) Fröhliche Mahlzeit, König Gunther. Und einen Gruß von Euren treuen Knechten. Sie haben einen andern Herrn erwählt.

Gunther (innen): Was sprichst du, Dankwart? Einen andern Herrn?

Dankwart: Sie sind des Todes Ingesinde jetzt geworden. Er ging umher und nahm sie Euch. Er ließ Euch keinen, alle tragen seine rote Farbe, und aus offenen Leibern rufen sie ihm zu.

Hagen (innen): Wie viele Heunen haben sie gefällt?

Dankwart: Fast alle, die sie greifen wollten.

Hagen: Das war recht brav. Doch fehlt die Leichenrede noch, und die wird Hagen jetzt besorgen. Volker, zu Dankwart an die Türe, daß keiner uns entkomme, bevor ich nicht das letzte Wort gesagt.

(Volker springt an die Türe und besetzt sie mit Dankwart. Werbel und Schwemmel auf den Stufen zum Dom zu neuen Heunenscharen, die sich um sie versammeln.)

Werbel: Wir müssen stürmen, daß wir Herrn Etzel und Kriemhilde befreien. Bringt Fackeln.

Hagen (innen): Zuerst zu dir, du junger Vogt der Heunen!

(Ein fürchterlicher Schrei in der Halle.)

Schwemmel (der hineingesehen, während sich Werbel mit den Heunen beraten hat, schreit gleichfalls auf): Entsetzlich!

Werbel: Was gibt's.

Schwemmel: Er schlug . . . entsetzlich . . . schlug des jungen Ortlieb Kopf mit einem Streich vom Leib. Der Kopf . . . ich sah's . . . sprang hoch empor und fiel auf eine Silberschüssel gleich einem Schaugericht.

(Innen im Saal furchtbares Getümmel. Dankwart und Volker wehren den Ansturm auf die Türe ab.)

Volker: Jetzt kann hier keiner durch. Kommt morgen wieder und fragt euch an.

Dankwart: So reich ist keiner, daß er den Zoll erlegen könnte, der hier zu zahlen ist, und sein Leben behalten, trotzdem er ihn gezahlt.

Schwemmel: Er schlägt um sich als wie ein Rasender. Er mäht in einer Saat von Menschenleibern. Nur Dietrich, Rüdeger, den König und die um sie verschont er.

Werbel: Auf, zum Sturm!

(Die Heunen laufen unter Werbels und Schwemmels Führung gegen die Halle an.)

Volker (wendet sich um): Heho! Was kommt da!

Werbel: Lieber auf zwei Beinen, grad so wie du!

Schwemmel: Spielleut', die einem Spielmann gerne aufspielen möchten.

Volker: Kommt nur heran. Wir wollen sehn, wer besser fiedeln kann!

Werbel: Wenn unsre Noten dir zu ungefüge sind, so sag's. (Schlägt los.)

Schwemmel: Wir fiedeln dich in Grund und Boden. (Schlägt los.)

Volker (mit großen Kreishieben gegen beide): Zweistimmig setzt ihr eure Melodei? Wo bleibt der Chor?

(Heunen drängen nach, doch weichen sie immer vor Volkers Hieben zurück.)

Werbel: Hier diese Note hat ein Pfundgewicht. (Haut ein.) Und mein Wort zu ihr heißt: Stirb!

Volker: Man muß nicht immer glauben, was die Sänger sagen. Doch paßt auf, jetzt ändre ich den Takt — (mit zwei raschen und wuchtigen Hieben nach links und rechts verwundet er beide) — und werf' euch aus der Bahn.

(Werbel und Schwemmel taumeln die Stufen hinab. Heunen stürmen an ihrer Stelle vor. Werbel hat die Hand verloren Schwemmel hat einen Hieb über Gesicht und Brust erhalten.)

Werbel (reißt mit der Linken ein Stück von seinem Gewand ab und versucht den Stumpf der Rechten zu verbinden): Das war ein Sängerkampf mit sonderbaren Preisen. Wer die erhält, der hat verloren.

(Schwemmel sinkt auf die Stufen des Domes. Ein Heune nimmt ihm die Waffen und den Panzer ab und stillt das Blut. Versucht zu sprechen.)

Werbel: He Schwemmel, was ist's mit dir.

(Schwemmel deutet auf den Mund.)

Werbel: Stumm?

(Schwemmel nickt.)

Der Heune: Die Zunge ist entzwei.

Werbel: Ein sonderbarer Sängerkampf. Wer verlor, muß schweigen für alle Zeit, oder er kann den Fiedelbogen nicht mehr halten.

Volker (hat den Angriff der Heunen abgeschlagen. Überall Verwundete und Tote): Nun hab ich meinen Leich beendet. Wer bestellt bei Volker einen neuen?

(Getümmel im Saal.)

Dietrich (im Saal mit furchtbarer Stimme durch den Lärm): Gunther, Gunther!

Gunther: Stille ... Haltet ein! Herr König Dietrich ruft zu mir.

Dietrich: Herr König Gunther, gebt mir Urlaub, aus diesem Saal zu gehn mit meinen Freunden und meinem Bann.

Gunther: Geht, Herr König Dietrich. Geht. Doch alle Heunen, so viel hier ihrer sind, sind uns verfallen.

Hagen: Volker und Dankwart! schiebt eure Riegel vor zur rechten Zeit.

(Dietrich, Rübeger, Etzel, Kriemhilde, Hildebrand, die Amelungen und die Mannen Rübegers kommen aus dem Saal. Dietrich führt Etzel und Kriemhilde an seinen Armen. Volker und Dankwart senken ihre Schwerter.)

Wolfhardt (zu Dietrich): Herr König, ich bitte niemals. Ich hätte Euch den Ausgang frei gemacht, und nicht eines Wortes hätt' es bedurft.

Dietrich (zornig): Den Teufel hättet Ihr!

(Ein Heune will, den Abziehenden nachfolgend, durch die Türe schlüpfen.)

Volker: He du, gehörst auch du zu König Dietrichs Freunden? Zu spät, schon ist der Riegel wieder vor. (Er schlägt ihn nieder.)

Kriemhilde (zu Etzel, der stumpf und verloren abseits steht): Was stehst du, König, haben sie dir dort in der Halle deinen Mut und deinen Zorn und deine königliche Würde erschlagen?

(Etzel schweigt.)

Kriemhilde: Hast du nicht alles getan, um dieses Hagen Mordgier zu zügeln? Willst du jetzt zusehn, wie er dir deinen ganzen Bann erschlägt?

(Etzel wendet sich ab.)

Kriemhilde: Etzel! Die roten Flecken hier auf meinem Kleid sind unsres Kindes Blut!

Etzel (furchtbar): Ortlieb! Ortlieb! Ihr Heunen, man schlug dort drinnen eure Zukunft tot. Zur Rache!

Werbel: Herr, dort an jener Türe hält der Valand Wacht.

Kriemhilde: So ruf' ich Euch, Herr Rüdeger, zum Kampfe auf.

Rüdeger: Ich sollte . . . ich bin dieser Nibelungen Freund, ich schwor mich ihnen zu.

Etzel: Ihr seid mein Lehensmann, und ich befehl' Euch . . .

Rüdeger: Ihr habt mir zu befehlen! Doch ist dem Lehensmann gestattet, seinen Herrn zu bitten, daß er ihm nicht befehle. Ich bitte Euch und wollte, daß alle Kraft, die jemals durch Bitten etwas abgewendet, sich mit der meinigen vereinigte.

Kriemhilde: Schweigt! Es war ein leichtes Stück, Herrn Etzels Mann zu sein, da alles in Glanz und Wohlstand war. Nun wütet Mord und Not, nun, Herr Rüdeger, sollt Ihr die Probe erst bestehn.

Rüdeger: Ihr wollt, daß ich mich selbst zerfleische.

Kriemhilde: Zerfleischt Euch!

Rüdeger: Ich bitte Euch um eine Nacht Verzug. Um diese einz'ge Nacht Verzug. Wenn der Tag erscheint und sie bis dahin nicht gefallen sind, so will ich in den Kampf.

Etzel: Es sei. Doch bürgt Ihr mir dafür, daß sie uns nicht entkommen.

Rüdeger: Ich bürge Euch dafür! (Zu seinen Mannen): Umstellt den Saal!

Etzel: Ihr Heunen: schießt den Brand ins Dach.

Das Feuer ruf' ich mir zum Bund wie vormals, und glühendes Gebälk soll sie erschlagen. Schießt!

(Die Heunen schießen Brandpfeile in das Dach. Es flackert an einigen Stellen am Hof.)

Kriemhilde: Schickt die Hölle über ihren Kopf! Herr Rüdeger, Ihr bürgt, daß sie uns nicht entkommen.

Rüdeger: Ich muß zu hoffen wagen, daß sie fallen, bevor der Tag erscheint. Ich muß es wünschen, daß das Feuer sie vernichtet . . .

Hagen (am Fenster): Die Leichenrede ist zu Ende.

(Die Lohe schlägt aus dem Dach.)

Kriemhilde: Und auf dem Scheiterhaufen sollt ihr selbst verbrennen.

Vierte Abteilung.

(Der Hof von Etzels Burg. Morgendämmerung. Die Haupthalle
ist eine Brandruine. Aus den Fenstern steigt noch immer dicker
Qualm. Im Hof, auf den Treppen des Münsters und des Saales
der Knechte die Mannen Rüdegers und Heunen, auf der
obersten Stufe Rüdeger gespannt nach der Halle blickend.)

Erster Vorgang.

Ein Schütze aus der vordersten Reihe:
Herr, ich höre Stimmen!

Ein anderer: Ach was, glaubst du an Wunder?
Die Jünglinge im Feuerofen hatten's kühler als heute
Nacht die Nibelungen.

(Ein frischer Wind vertreibt den Qualm.)

Rüdeger: Herr Gott! Sie leben noch!

Hagen (tritt, geschwärzt und versengt, in die Türe): Guten
Morgen. Ich wünsch' euch Heunen allzusammen einen
guten Morgen. Ihr habt recht sonderbare heiße Nächte,
vielleicht ist's mittags kühler.

(Die Schützen heben die Bogen und Armbrüste.)

Rüdeger: Nieder mit den Waffen. Nieder, sag'
ich. Sie haben's überstanden, nun laßt sie sich erkühlen.

Volker (tritt zu Hagen): Erkühlen? Nun ja, wie Braten, daß sie zum Essen tauglich werden. Ihr habt uns höllisch eingeheizt und in den eignen Eisenschalen uns gebraten.

Hagen: Nun sind wir wohl versorgt für lange Zeit. Wenn einer Hunger hat, so schneidet er ein Stück Gebratnes von Schenkel oder Brust. Und Durst? Ha — Durst! Noch haben wir hundert Schläuche roten Weins, so viel wir heute Nacht auch leerten. Seht, dort wirft man euch die leeren Felle zu.

(Aus den Fenstern werden die Körper von Gefallenen geworfen.)

Rüdeger (schaudernd): So trankt ihr . . .

Hagen: Blut! Nun ja, was sonst? Habt ihr uns etwa Wein gegeben, den Durst zu löschen. Ich sag euch, es war ein unterhaltend Vorspiel zum Untergang der Welt.

Volker: Ein gutes Glück, daß Etzel die Halle so fest gebaut hat, daß das Gewölbe hielt. (Ruft nach hinten.) He holla! Vorsicht! Untersucht erst immer, bevor ihr unsre Schläuche wegwerft, ob nicht ein Rest darin ist. Ein guter Hausherr spart, auch wenn er Vorrat hat.

Hagen und Volker in die Halle zurück. Nun leichte Rauchsäulen aus den Fenstern. Kriemhilde kommt von links. Es wird immer heller.)

Kriemhilde: Ihr sprecht mit unsern Feinden, Rüdeger!

Rüdeger: Ich spreche mit meinen Freunden.

Kriemhilde: In jener Halle gibt es keine Freunde für Etzels Mannen. Die Nacht, um die Ihr batet, ist herum. Ihr seht, die Nibelungen sind zähe wie die Salamander. Vergebens hat der Tod mit Feuer um sie geworben. Nun muß er's mit dem Eisen versuchen. Die Nacht ist um, der Tag beginnt.

Rüdeger: Er kommt so zögernd hinter dem Vorhang der Nacht hervor, als fürchte er, die Augen aufzu-
schlagen, als scheue er den Blick auf das, was heut geschehn soll.

Kriemhilde: Seid Ihr bereit?

Rüdeger: Wenn Ihr gesehen hättet, welche Qualen
sie überstanden haben. Sie haben Blut getrunken.

Kriemhilde: Recht so, das ist der Trank, der für
die Nibelungen paßt.

Rüdeger: Aus Leichen sogen sie sich Kraft.

Kriemhilde: Ich weiß es längst, daß sie Vampire
sind.

Rüdeger: Ich sah einst einen fürchterlichen Kampf.
In einer Burg belagert, hielt sich der Feind durch lange
Monde. So grimm der Angriff war, so heldenhaft war
die Verteidigung, bis endlich den Belagerten die
Nahrung ausging. Doch wollten sie sich nicht ergeben
und losten um den Tod. Und wen es traf, der ward ge-
schlachtet und von den andern aufgezehrt. Als das der
Fürst erfuhr, der sie belagerte, da zog er ab. Denn,
sagte er, nun ist's genug. Dies ist die Grenze. Wer sich
so lang gehalten hat, verdient, daß man ihn für genug
gezüchtigt halte. — Nun, Frau Kriemhilde, nun ist's genug!

Kriemhilde: So lange Hagen lebt, noch nicht.
Der Fürst, von dem ihr spracht, er hatte keinen Siegfried
zu rächen. Ihr steht noch? Ihr seid noch nicht ge=
waffnet? Muß ich Euch erinnern, daß Ihr der Pate des
Kindes war't, das Hagen erschlug?

Rüdeger: Klein-Ortlieb! Armer Ortlieb!

Kriemhilde: Als er zu sprechen anfing, war das
erste Wort, das er nach Vater und Mutter lernte, Euer
Name. Er sprach ihn täglich hundertmal, und es scheint,
daß ihm dieses Wort aus seinem kleinen Schatz am besten
gefiel. Wie glücklich war er als Euer Gast in Bechelären.
Die Nacht vorher, eh er die Reise antrat, tat er kein

Auge zu. Und Rüdeger und Dietlind schlug sein kleines Herz entgegen, daß er die Mutter fast vergaß. Nun liegt er tot, verbrannt, dort drüben im Schutt.

Rüdeger: Hagen, Hagen, was hat dir dieses Kind getan?

Kriemhilde: Und Ihr steht noch da? Wir schenkten Euch von unsres Kindes Liebe, und haben sonst noch tausendfach gegeben. Und nun, da wir zum ersten Male fordern, nun steht Ihr da und rührt Euch nicht.

(Etzel kommt.)

Rüdeger: Ich kann es nicht. Erlaßt es mir!

Kriemhilde: König Etzel, hier steht ein Mann, dem du das Leben schenktest und, was mehr ist, dein Vertrauen. Er weigert sich, für dich sein Schwert zu ziehn.

Etzel: Sein Leben und mein Vertrauen ist ihm zu wenig? Gibt's etwas auf der Welt, das Ihr gern hättet, so sagt's, und wieder, wie in alten Tagen, sitzt König Etzel auf und reitet durch Tag und Nacht, bis er's für Euch errungen.

Kriemhilde: Und Euer Schwur? Ihr habt beim Haupte Eures Kindes geschworen.

Rüdeger (verzweifelt): Ja — ja — ganz recht, beim Haupte meines Kindes.

Etzel: Ihr geht drauf aus, ein Schauspiel anzusehn, das niemand gewagt hat, auch nur auszudenken. (Kniet vor ihm nieder.) Seht her, es liegt mir nichts daran; seht alle her. Ich hab' mich nicht zu schämen, daß es so weit gekommen ist. Hier liegt der König Etzel auf den Knien und bittet seinen Mann, daß er das Schwert ergreife, um Etzels Sohn zu rächen.

Rüdeger (entsetzt und erschüttert): Steht auf, im Namen Gottes, stehet auf. Ich tu's. Ich gehe, mich zu waffnen.

Etzel (steht auf): Und ein König wird Euch behilflich sein, die Waffen anzulegen. (Beide ab.)

Zweiter Vorgang.

Kriemhilde: Ihr werdet kämpfen, ihr Mannen, und wer mir Hagens Haupt bringt, der wähle sich unter Etzels Schätzen, was ihm gefällt.

Die Mannen: Wir werden kämpfen!

(Eine Bahre mit dem todtwunden Blödel wird hereingebracht.)

Kriemhilde: Blödel, ich wage nicht zu fragen, wie Ihr Euch fühlt!

Blödel: Fragt nur, Kriemhilde; wer so weit ist wie ich, der stößt sich nicht an Fragen. Die Antwort steht mir im Gesicht. Der Tod war schon bei mir. Er kam zur Nacht, doch bat ich ihn um Aufschub. Ich bat: Laß mich noch einmal nur ihr Angesicht im Lichte sehn. Da nickte er Gewährung und ging noch einmal. Kriemhilde, Eure Hand!

Kriemhilde (reicht ihm die Hand): Hier habt Ihr sie.

Blödel: Kriemhilde, ich dank' Euch. Für alles, was Ihr mir gegeben.

Kriemhilde: Ihr dankt mir? Wofür? Daß ich en Tod Euch gab?

Blödel: Auch dafür! Doch auch für das, was Ihr mir am Leben gabt. Ihr habt mich ganz verwandelt. Seht, früher war ich toll, in meinem Hause gab es sonst Weiberkreischen, Gläserklirren und freche Lieder. Seit sieben Jahren ist es anders. Das dank' ich Euch.

Kriemhilde: Schweigt, Ihr werdet blaß.

Blödel: Laßt mich in tiefen Zügen meinen letzten Atem schlürfen. Mein Auge soll Euer Bild bewahren, wenn es bricht. Und wenn mein Schädel blank geworden ist, so soll in seinen leeren Augenhöhlen noch immer ein Schimmer Eurer Schönheit sein.

Hagen (in der Tür der Halle): Ich grüße Euch, Frau Königin!

Kriemhilde: Ihr grüßt mich nun? Jetzt ist's zu spät für Höflichkeiten.

Hagen: He Volker komm, ich will dir etwas zeigen.

(Volker kommt zu ihm.)

Hagen: Sieh dort Frau Kriemhild. Sie steht bei ihrem letzten Buhlen. Er glaubte nicht daran, daß Kriemhild Gift in sich hat. Nun hat er selbst das Fieber in seinem Blut.

Blödel (bäumt sich auf): Hagen, du Hund, du Elender!

Hagen: Glaubt mir, Herr Blödel! Wenn Eure Glieder im Verlangen nach ihr flogen, das war der erste Schüttelfrost des Todes!

Blödel: Daß diese Faust kein Schwert mehr führen kann! Daß ich dir deine Zähne nicht mehr zu fressen geben kann!

Volker: Ich mach' noch schnell ein neues Lied daraus. Das will ich singen, recht laut, damit es iner hört und es behält. Vielleicht geht's nicht verloren und bewahrt für ferne Zeiten noch Kriemhildes Schmach: „Kriemhild und ihre Buhlen" soll es heißen.

Kriemhilde: Du schmähst das Weib in mir. Das trifft mich nicht, das Weib ist längst schon tot.

(Werbel und Schwemmel kommen. Werbel mit verbundenem Arm und Schwemmel mit verbundenem Kopf, nur die Augen sehen aus dem Verband. Werbel führt den schwankenden und todmatten Schwemmel zu den Stufen des Münsters, wo er ihn niedersetzt.)

Kriemhilde: Sing nur dein Lied. Sing's denen vor! (auf die Spielleute deutend.)

— 129 —

Volker: Die fingen mir zu fchlecht. Frag fie
felbft, wie ich im Wettkampf fie befiegte.

(Volker und Hagen in die Halle.)

Blödel: Er kommt und mahnt mich, ihm zu folgen.
Siehft du ihn nicht, — den Schatten! Der Tag wird
grau . . . leb wohl, Kriemhilde . . .

Kriemhilde: Leb wohl.

(Blödel wird hinausgetragen.)

Werbel: Wir hörten, daß Rüdeger nun kämpfen
will, und kommen, das zu fehn. Es wird ein fchönes
Schaufpiel fein.

Kriemhilde: Wie feht Ihr aus?

Werbel: Wie zwei Spielleute, aus denen einer
wurde. Mir fehlt die Hand, doch hab' ich noch den
Mund, der Stimme füßen Schall; doch fehlt die Hand,
die in die Saiten greift. Der dort hat feine Hände behalten, doch fchlug ihm der Teufel, der dort ftand, das
Geficht entzwei, daß mit der Zunge auch die Sprache
hin ift. Nun haben wir uns zu einer luftigen Kumpanei
zufammengetan: indes er fpielt, will Werbel fingen. Und
zwar zunächft das Lied vom „Tod der Nibelungen".

Kriemhilde: Oh, wär' es doch fo weit!

Werbel (bei Schwemmel): He, Schwemmel, fo ift
es! Gib ein Zeichen. (Schwemmel nickt fchwer mit dem
Kopf, ohne ihn zu heben.)

Dritter Vorgang.

(Etzel und Rüdeger, letzterer gewaffnet.)

Rüdeger: Mein Panzer ift mir zu eng geworden.
Oder ift meine Bruft von Leid fo voll, daß meines
Panzers Ringe fie nicht mehr umfchließen können.

(Nürnberger im Pilgergewand, kommt, von einem Heunen
geführt.)

Heune: Hier ist ein Mann, der wünscht den König zu sprechen.

Etzel: Du mußt den König auf dem Kampfplatz suchen. Und auf dem Kampfplatz hat man wenig Zeit.

Kürnberger: Ein Pilger, der auf der Heimkehr ist, empfand's als seine Pflicht, bei König Etzel einzukehren und sich seiner Gnade zu empfehlen.

Etzel: Da kommst du nicht zur rechten Zeit. Kein Wort ist hier so fremd wie Gnade.

Kürnberger: Und dann hab' ich noch eine Bitte an die Königin. Frau Kriemhilde, ich hab' Euch einst beleidigt und kam nun her, um Euch zu bitten, daß Ihr mir verzeiht. Ich brächte gern ein Wort von Euch nach Haus.

Kriemhilde: Was soll das?

Kürnberger: Erkennt Ihr mich nicht mehr? Es war in Bechelaren, und ich sagte — oh, es ist meiner Seele eingebrannt, — daß eine Seuche in Euerem Gefolge sei, die Seuche des Mißtrauens und der Zwietracht. Könnt Ihr mir dies vergeben?

Kriemhilde: Ihr seib's?

Rüdeger: Hartwig! (dem Kürnberger entgegen. Sein Visier ist halb herabgelassen.)

Kürnberger: Wer ist der Held?

Etzel: Herr Rüdeger, Markgraf von Bechelaren.

Kürnberger: Mein Vater! (Sie umarmen einander.) Ich hätt' Euch nicht erkannt. Um Gott, dies liebe Haupt, die treuen Augen, doch oh, die Furchen, wie tief und bitter. Und da, oh — graue Haare unterm Helm hervor? Nehmt diesen Helm ab, daß ich den weißen Scheitel streichle und ihn küsse.

Rüdeger: Ich darf den Helm nicht mehr vom Haupte lösen. Ich hab's gelobt. Doch du, mein Sohn, wie stark bist du geworden, wie gebräunt. Und täuscht

mich nicht dein Blick, so hat mein Spruch nur Gutes an
dir bewirkt.

Kürnberger: Ich bin ein andrer. Ich bitt' Euch,
lernt mich von neuem kennen. Ich will mich freuen, wenn
Ihr recht sehr erstaunt. In sieben Jahren verändert sich
manches; ich seh's an Euch.

Rüdeger: Bis gestern hättest du mich so gesehn,
wie du mich vor sieben Jahren ließest. Ich wurde weiß
in einer Nacht. In sieben Jahren gewann der Jüngling
Kraft, in sieben Stunden verlor sie Rüdeger.

Kürnberger: Sprecht, mein Vater, ich versteh'
Euch nicht!

Kriemhilde: Nun spräch' Euch Euer Vater frei,
wenn Ihr mir noch einmal sagtet, mir folge die Seuche
der Zwietracht.

(Rüdeger macht eine Gebärde der Verzweiflung.)

Kriemhilde: Ich bin gezeichnet vom Himmel. Ich
habe eine fürchterliche Rache zu erfüllen und muß das
Unheil um mich säen.

Kürnberger: Wem gilt die Rache?

Kriemhilde: Den Nibelungen. Dort in dem Saal
ist Hagen, und solang' er lebt, ist jeder Mord erlaubt.

Rüdeger: Und ich bin ausersehn, die Freunde zu
erschlagen.

Kürnberger: Erlaßt dem alten Mann den Kampf.
Nehmt den Helm vom Haupte, Rüdeger, reicht mir Euer
Schwert und Euren Schild. Es kann mir nichts Lieberes
geschehen, als daß ich für Euch eintrete mit der Kraft der
Jugend. Oh, glaubt mir, Rüdeger, die sieben Jahre haben
mich gestählt. Besonnen wurde ich und bei dem Ringen
mit der Fremde stahlhart. Solange ich immer noch ein
Wasser rauschen hörte, das der Donau zuströmt, war noch
der Geist der Unruh und des Aufruhrs wach in mir.
Doch als ich von allem schied, dem ich noch Grüße an

9*

Vechelaren mitgeben konnte, warb ich traurig, so furchtbar
traurig, daß mir jeder Mut erstarb. Das waren schwarze
Jahre. Ich lebte lang' im Finstern, und ein Geier zer-
fleischte meine Seele. Wie Menschen in einem Kerker,
den kein Lichtstrahl erhellt, zerstieß ich mich an hundert
scharfen Kanten. So schwach warb ich, daß ich den Tod
ersehnte. Doch wurde mir ein wunderbarer Trost. Ich
lernte, meine Klagen in Lieder einzubetten, ich lernte
singen. Da überwand ich's und faßte neuen Mut, und
die Hoffnung erhellte mein Verließ. Da kam ein neues
Trachten in mich, das mahnte: sei ein Mann. Die sieben
Jahre gingen hin, und wieder durft' ich mich zum heimat-
lichen Strome wenden. Und als ich ihn zum ersten Male
sah, da faßt' es mich und warf mich hin. Ich weinte.
Ich weinte trotz meiner Mannheit. Doch nun im Angesicht des Zieles bin ich wieder stahlhart und habe meine
Kraft gefunden. Ich sehne mich danach, vor Euren Augen
zu bestehen. Vater, gebt mir Euer Schwert.

Rüdeger: Du bringst mir einen guten Trost —
vorm Tod. Ich sehnte mich nach Weib und Kind. Nun
kommen sie zu spät. Bring ihnen die letzten Grüße
Rüdegers und sag, daß mich ein Schicksal, so grausam
wie kein anderes, zu diesem Kampfe zwang.

Kürnberger: Kein Wort mehr, legt den Helm ab!

Rüdeger: Du bist die Jugend, Hartwig! Es ist
Gesetz des Todes, daß das Alter der Jugend vorangeh'
durch die dunkle Pforte. Da drinnen ist Dietlinds Verlobter, und du wirst dem Kinde zwei geliebte Menschen zu
ersetzen haben.

Kürnberger (bestürzt): Was sagst du? Dietlinds
Verlobter? Wer ist's?

Rüdeger: Herr König Giselher von Worms. Das
ist so furchtbar. Eid steht hier gegen Eid. Ich schwor
den Nibelungen Freundschaft und gab mein Kind an
Giselher.

Kürnberger: An Giselher? Und Dietlind . .
und Dietlind hat sich ihm verlobt?

Rüdeger: Sie liebt ihn!

Kürnberger: Sie liebt ihn? (Zu Kriemhilde):
Frau Königin, hier darf kein Streich mehr fallen. Gebt
ihnen freien Abzug. Zu schändlich wär' der Kampf, der
hier geschehn soll.

Kriemhilde: Schweigt! Hab' ich deswegen sieben
lange Jahre — Ihr wißt ja selbst, wie lang' dies ist —
bei Tag und Nacht gesonnen, wie ich den Mörder meines
Gatten fasse, daß ich ihn jetzt aus meinen Händen lasse?

Kürnberger: So tut mit Hagen, wie Ihr müßt.
Doch Giselher darf nicht zum Opfer fallen. Dietlinde
liebt ihn. Giselher gebt frei!

Kriemhilde: Versucht's, ob er allein aus jener
Halle geht.

Kürnberger: Sprecht Ihr zu ihm, Ihr seid die
Schwester.

Kriemhilde: Giselher!

(Gunther, Gernot, Giselher treten in die Türe der Halle.)

Kriemhilde: Noch einmal. Laßt von Hagen ab
und geht davon, so frei als ihr gekommen.

(Die Könige heben die Schwerter.)

Gunther: Füg die drei Schwerter Hagens Schwert
hinzu!

(Sie gehen in die Halle.)

Rüdeger: Es ist umsonst. Leb' wohl, mein Sohn.
(Küßt ihn.) Schweig; kein Wort mehr! Und grüß mir
Weib und Kind, ich empfehle sie deiner Treue. (Tritt an
die Halle heran. Mit starkem Ruf.) Ihr Nibelungen!

(Hagen und Volker unter der Türe.)

Rüdeger: Ich, Rüdeger, Markgraf von Bechelären und Vater Dietlindes, der Braut Herrn Giselhers, ich komme.

Hagen: So sei Gott gelobt!

Volker: Ein Wunder ist geschehn, den Namen Gottes nahm Hagen in den Mund.

Rüdeger: Ich komme, die Nibelungen zu bestehn.

Hagen: Uns zu bestehn? Zu kämpfen gegen uns?

Rüdeger: Da mir's Kriemhilde nicht erläßt! Ich bitt' euch, Freunde, tut euer Bestes, ich versprech' euch, das meinige zu tun. Was noch an Kräften in diesem Körper ist, das setz' ich ein, um euch zu fällen, und ihr sollt mich nicht verschonen. So löse ich doch einen meiner Schwüre. Gott wird verzeihn, daß ich die andern breche.

Kürnberger: König Etzel! (Etzel wendet sich ab.) Frau Königin, Ihr habt das Recht, von Euren Mannen den Tod als Pflicht zu fordern. Doch — wohlgemerkt, nur einen Tod! Nicht tausend Tode, wie Ihr dem alten Mann verhängt! (Kriemhilde wendet sich ab.)

Werbel (zu Kürnberger): Erspart Euch jedes Wort. Käm' jetzt mit seinem Flammenschwert der Bote des jüngsten Gerichts, sie zwänge ihn zum Aufschub, um vorher ihr eigenes Gericht zu halten.

Kriemhilde: Was zögert Ihr, Herr Rüdeger?

Rüdeger (schickt sich an, vorzubringen): Wehrt euch!

Hagen: Halt! Ihr gabt mir einen guten Schild, der hat sich mir bewährt bis diese Stunde. Doch nun ist er verhauen und zerharscht. Von Pfeilen schwer zerspalten und zerspellt, gibt er nun schlechten Schutz. Ich bitt' Euch, gebt mir einen andern.

Rüdeger: Nehmt den meinen. (Gibt ihm seinen Schild.) Freund, gib mir deinen Schild. (Läßt sich von einem seiner Mannen den Schild reichen.)

Kriemhilde (wütend): Verräter!

Hagen: So geht hinein, ich lasse Euch vorbei.

Rüdeger: Ihr kämpft nicht gegen mich?

Hagen: Mein Schwert ist stumpf für Euch. Es dorrte mir die Hand, erhöbe ich sie gegen Rüdeger. (Er wendet sich ab.)

Volker: Die Wunder sind heute ohne Ende: Hagen weint. (Steckt das Schwert ein.) Auch mein Fiedelbogen verstummt.

Rüdeger (zu den Mannen): Folgt mir.

(Mit den Mannen in den Saal. Kampfgetöse.)

Kürnberger: Vater, Vater! (will hinein.)

Hagen: Zurück!

Kürnberger: Laßt mich zu meinem Vater!

Hagen: Von einem Sohne Rüdegers erfuhr ich bis heute nichts.

Kürnberger: Es ist ein Sohn, der sieben Jahr gebannt war und nun heimkehrt, um seines Vaters Tod zu sehn.

Hagen: So tretet auf die Schwelle; man soll nicht sagen, daß Hagen dies verbot.

Kriemhilde: Was war dies? (Sie bückt sich und hebt einen Stein auf.) Ein Stein!

Etzel: Ein Stein von einem Schildbeschlag, ein kostbar bunter Stein, den schlug ein schwerer Hieb aus seinem Rand. Und Blut darauf.

Werbel (auf den Stufen der Halle links): Die sonderbarste Waffenschmiedekunst ist hier zu sehn. Sie hämmern auf den Helmen und Schildern mit blanken Schwertern und auf den Panzern, daß durch die hellen Ringe das dunkle Blut fließt.

Kriemhilde: Und Rüdeger!

Werbel: Er schreitet wie ein Schnitter durch die Nibelungen!

Kriemhilde: Das will ich sehen.

(Zu Werbel auf die Stufen hinauf.)

Werbel: Nun greift ihn Gernot an.

Volker: Gernot und Rüdeger im Kampf?

Werbel: Der Hieb wirft Gernot hin! Er steht und schlägt zurück. Sie fallen beide.

(Kürnberger schreit furchtbar auf.)

Werbel: Herr Rüdeger ist tot!

Volker: Hagen! Hagen!

Hagen (noch immer abgewendet): Ich will nichts sehen.

Volker: Hör, was der Kerl sagt!

Hagen (sieht widerstrebend in den Saal. Erschüttert): Der Rabe krächzte wahr. Auf Eurer Liste, edle Königin, steht einer mehr.

Volker: Er fiel durch Gernots Schwert, das Schwert, das er ihm schenkte.

Kriemhilde (langsam zu Etzel): Nun ist noch einer, dem's gelingen kann.

Etzel (entblößt das Haupt): Oh, sonderbarer Gott der Christen, den ich nicht begreife; ich wage nicht, dir seine Seele zu empfehlen. Denn: ist dein Jenseits so wie diese Erde, so wäre besser nach dem Tod das Nichts.

Kürnberger (langsam und schwankend über die Stufen hinab): Nun ist er von seinem Schwur gelöst.

Hagen (zu Volker): Was stehn wir müßig hier. Dort drinnen gibt es Arbeit. Herr Rüdeger ist tot, was heißt uns, seine Mannen zu verschonen?

Volker: Es ziemt sich, daß Edle ein gutes Geleit im Tode haben: komm! (Zieht das Schwert. Mit Hagen in den Saal.)

Werbel: Nun, Schwemmel, wie machen wir das neue schöne Lied vom Tod des Grafen Rüdeger? (Geht zu Schwemmel.) He, Schwemmel, erfind mir eine gute Melodie zu meinen guten Worten. (Schwemmel rührt sich nicht.) He, Schwemmel. (Rüttelt ihn. Schwemmels Arme finfen herab. Der Kopf fällt vornüber.) **Schläfft bu?** (Er hebt den Kopf und sieht ihm in die Augen.) **Hm!**

Kriemhilde: Was ist's mit Schwemmel?

Werbel: Er ist tot. Ein sonderbares Rechenstück: wie aus zwei Sängern ein halber wird.

Vierter Vorgang.

(Hildebrand mit den Mannen Dietrichs.)

Hildebrand: Wo ist Herr Rüdeger? Der König gab uns Auftrag, ihm nachzufragen. Er ging so sonderbar von Dietrich, schwer gewaffnet, als müßt' er in den Kampf. Und küßte unsern Herrn, als wär's zum letztenmal.

Kürnberger: Zum letztenmal!

Hildebrand: Wo ist Herr Rüdeger? (Kriemhilde und Etzel wenden sich ab.) Tot?

Kürnberger: Seine Leiche liegt dort drinnen.

Hildebrand: Tot! Frau Königin! Das verzeih' Euch Gott.

Wolfhart: Herr Dietrich sprach: ich will ihn sehn. Wir müssen seine Leiche holen, kommt!

(Hildebrand, Wolfhart und die andern wenden sich der Halle zu. In der Türe treten ihnen Hagen, Volker, Dankwart und Giselher entgegen, die Rüdegers Leiche tragen. Gunther hinter ihnen.)

Hagen: Wohin?

Hildebrand: Wir bitten euch um die Leiche, die ihr da tragt.

(Die Nibelungen legen den Leichnam anf die oberste Stufe.)

Hagen: Ein edler Leichnam, beseht euch ihn nur gut. Wir setzen ihn hier nieder, damit ihr ihn beschauen könnt, und halten Totenwache.

Siegstab: Oh, Rüdeger, hätte jede deiner tapfern Taten die Kraft, nur einen Toten aufzuerwecken, — so viel der Leichen in dieser Burg hier liegen, sie ständen alle wieder auf.

Wolfewein: Und hätte jede seiner guten Taten einen Mund, so wäre dieser Hof von einem fürchterlichen Klagen voll, das bis zum blauen Bogen des Himmels bringt.

Wolfhart: Säh' ich den eignen Vater hier vor mir erschlagen, es wär' mir leider nicht, als da ich nun den besten aller Männer so sehen muß.

Hildebrand: Was soll ich anderes zu seinem Ruhme sagen, als: er war Herrn Dietrichs Freund!

Siegstab: Wer wird die ärmste Witwe trösten?

Kürnberger (tritt unter sie und schüttelt ihre Hände): Ich! Ich bin des Toten Sohn und danke euch. Wer so viel Freunde hinterläßt, wem so viel Gutes nachgesprochen wird, der ist nicht tot, der lebt.

Hildebrand: So vereinigt Eure Bitten mit den unsern. Herr Hagen, gebt uns den Leichnam, daß wir ihn nach Christenbrauch begraben.

Gunther: Das ist die beste Treue, die sich dem Freunde nach dem Tod erweist, das ist der beste Dienst, den man ihm nach dem Tode tut. Nehmt den Leichnam ...

Hagen: Halt, Gunther. Hast du Rüdeger erschlagen? Das tat ein anderer, der nicht mehr sprechen kann. Die Antwort geb' ich euch für ihn. Der Leichnam bleibt bei uns!

Hildebrand: Herr Hagen, ich bin ein alter Mann und bat in meinem langen Leben nicht allzuoft. Ich hab' es nicht gelernt, mit Bitten Worte zu verschwenden. Nun denn, ich bitte Euch, und König Dietrich bittet durch mich.

Wolfhart (zornig vortretend): Was bittest du und lügst, daß König Dietrich bitte. Herr Dietrich bittet nicht mehr. Gebt uns den Leichnam ohne Zögern und wartet nicht, daß unser Schwert den Satz beende.

Gunther: Was weigerst du dich, Hagen?

Hagen: Sind wir nicht seine Freunde, grad' so gut wie die. Er bleibt bei uns.

Volker: Und was das Schwert betrifft, Herr Wolfhart, so sind wir in solcherlei Gesprächen auch nicht schlecht bewandert. Mich dünkt, Ihr habt gesehn, daß unsre Schwerter recht scharfe Worte auf blanken Zungen führen.

Wolfhart: Hilf, Himmel, Ihr seid mit recht schwachen Rednern nur fertig geworden. Wir haben unsere Beredtsamkeit auf einer bessern Schule gelernt und haben einen Schulmeister unter uns, der alle andern übertrifft.

Volker: Die besten Meister haben schlechte Schüler. Und wer mir immer nur verspricht und sich an keine Aufgabe wagt, der wird mich nimmer überzeugen, daß er ein guter Schüler ist.

Wolfhart: So setz' ich mir die Aufgab', Euch zu überzeugen, daß Euer Übermut vom Teufel kommt.

(Schwert heraus, rennt gegen Volker an.)

Hildebrand (stellt sich ihm in den Weg): Zurück, du Rascher. Ist dies nach Dietrichs Sinn? Hat er uns nicht befohlen, allen Streit zu meiden? Stand nicht der Zorn glutrot auf seiner Stirn, als er uns streng verbot, das Schwert zu brauchen.

Volker: Ein recht bequemer Ausweg für mißrat'ne Schüler: zu sagen, der Meister hätt' verboten zu zeigen, was sie können.

Kürnberger (hat dem toten Schwemmel Schild und Schwert abgenommen): Laßt mich, laßt mich, mir ward es nicht verboten. Ich habe keinen Meister über mir als mein Gewissen. Und dieses sagt: erwirb den Toten dir, da du den Lebenden dir nicht erwerben konntest.

Hildebrand: Ihr seid dazu berufen, Frau Gote-lind zu trösten. Hier ist genug Unheil geschehn. Daß einer Witwe Trost genommen wird, darf nicht geschehen.

Kürnberger (tritt zurück): So ist auch dieses mir versagt.

Hagen: Haltet ihr die Nibelungen für unwert, bei einem Helden als Totenwacht zu bleiben? Wenn ihr Herrn Rüdeger den letzten Dienst erweisen wollt, so wär' es eine Schande, es würde euch so leicht gemacht. Holt euch den Leichnam, wenn ihr wollt, wir geben ihn euch nicht.

Gunther: Hagen, Hagen! Gib ihn heraus.

Hagen: Schweig! Ich stand ihm von allen hier am nächsten.

Hildebrand: Dann habt Ihr recht wenig von seinem milden Sinn erfaßt. Reizt nicht unsern Zorn!

Volker: Nehmt euch den Leichnam, wenn ihr wollt, wir geben ihn euch nicht.

Wolfhart: Du arger Spielmann, dein böses Maul-werk zerschneid' ich dir in Stücke.

Volker: Die Geige hängt mir ja zur Seite: da Euch mein Wort so gut gefällt, geb ich Euch eine Melodie dazu.

Wolfhart: Nein, ich muß dich im ganzen nieder-schlagen. Zerschnitt' ich dich, ein jedes Stück wär' fähig, den Unfug fortzusetzen.

Volker: Du hast recht, es ging' euch übel, denn jedes Stück wär Manns genug, noch einen eurer Schar von Prahlern kalt zu machen.

Wolfhart: Wir wollen sehn. (Geht ihn an.)

Hildebrand (auf Hagen los): Wehr dich.

(Kampf auf den Stufen vor der Halle. Hildebrand und Hagen; sie werden getrennt; Wolfhart und Volker werden durch das Getümmel auseinandergerissen. Helfrid schlägt Tankwart nieder.)

Werbel: Dankwart fiel! Ein wenig spät. Das hätt' ich gerne selbst getan.

(Wolfhart und Giselher im Kampf.)

Wolfhart: Gut, junger König. Und doch entkommst du nicht zu deiner Mutter Ute.

Giselher: Das sage, bis ich meinen besten Schlag getan.

(Er haut ihn durch den Helm.)

Wolfhart (taumelt, dann wütend): Komm mit. (Er läßt den Schild fallen, faßt das Schwert mit beiden Händen und stößt es Giselher in den Hals. Beide fallen.)

Kriemhilde (schreit auf): Giselher!

Etzel: Auch er.

Kriemhilde: Und Hagen steht noch immer!

(Die Amelungen haben im Kampf um Rüdegers Leiche die Nibelungen in den Saal zurückgedrängt, wobei diese die Leiche mitnehmen. Auch Gunther und Hildebrand im Saal. An der Türe Volker mit Siegstab und Hagen mit Wolfewein im Kampf. Volker schlägt Siegstab nieder.)

Hildebrand (kommt zurück): Siegstab, Siegstab tot, Herrn Dietrichs Schwestersohn, den er zu hüten mir befahl. Volker, das bekommt Euch schlecht.

Volker: Wir wollen sehn! (Kampf. Volker fällt.) Aus — aus . . . Ihr könnt etwas, Herr Hildebrand, ich stelle Euch ein Zeugnis aus . . . (Stirbt.)

Hagen: Volker tot! (Er fällt Wolfewein mit einem Schlag.) Hildebrand, Ihr habt den liebsten Heergesellen mir erschlagen, den besten, den jemand je gewann. Nun zahlt Ihr mir dafür!

(Hildebrand und Hagen in grimmigem Kampf.)

Werbel: Nun muß ich Volker danken, daß er die Hand erwählte und nicht die Augen, daß ich noch dieses wunderbare Schauspiel sehe.

Hildebrand (wird von Hagen verwundet): Herr im Himmel, wie viele Arme habt Ihr!

Hagen: Nur einen, doch führt er Siegfrieds Schwert!

Hildebrand (weicht zurück): Den kann ich nicht bestehn.

Kriemhilde: Und Hagen steht noch immer.

(Gunther tritt unter die Türe. Nimmt den Helm ab.)

Hagen: Und die andern?

Gunther: Dort drinnen! (Er deutet mit einer Gebärde: tot.)

Fünfter Vorgang.

(Gotelinde und Dietlinde in Reisekleidern. Ekkehard.)

Ekkehard: Hier finden wir den König und die Königin, da ist auch Rübeger nicht weit.

Gotelinde und **Dietlinde:** Königin, was geht hier vor?

Kriemhilde: Ihr seht hier eine Eberjagd. (Auf Hagen deutend.) Dort steht der Eber, er hat schon viele gute Hunde zerrissen. Nun muß der beste Rüde los.

Dietlinde: Mutter, grauenvoll, Blut auf Stein und Wand. Und Leichen . . .

Etzel: Ich kann Euch leider schlecht empfangen, Frau Gotelinde. Und kann Euch nicht versprechen, daß ich's künftig nachholen will. Denn was ich heut' verlor, gewinn ich niemals wieder. Und was ich jetzt versäumen muß, das wird für alle Zeiten ungeschehen bleiben. Die es mir möglich machten, würdig zu empfangen, sind — (er unterbricht sich).

Gotelinde: So hat uns das Gerücht, das um uns schwoll, die Wahrheit angesagt?

Dietlinde: Man sagte: es wird in Etzels Burg gekämpft, die Leute standen bleich und nannten manchen Namen.

Gotelinde: Blödel, Euer Bruder fiel.

Etzel: Und viele Tapfere mit ihm und nach ihm!

Dietlinde: Der Vater sandte uns den Boten, wir sollten schleunig kommen. Er denkt an alles, und da er wohl wußte, daß wir, von dem Gerücht ereilt, in Unruh' kommen müßten, so ließ er sagen . . .

Gotelinde . . . (gequält): Wenn wir zu spät nicht kommen wollen, so sollten wir uns beeilen. Wo ist mein Gatte?

(Etzel wendet sich ab.)

Gotelinde: Um Gottes Willen, wo ist Rübeger?

Etzel: Fragt die Nibelungen.

Gotelinde: Hagen, Gunther, was steht ihr wie aus Stein? Gebt Antwort!

(Hagen und Gunther wenden sich ab.)

Dietlinde: Giselher, er wird uns Antwort geben. Er wird zu uns stehn, da alle diese sich verschworen haben, uns zu martern. Giselher!

Kürnberger (der sich bisher ganz abseits gehalten hat, kommt an sie heran): Es ist umsonst, auch er kann keine Antwort geben. Ich habe diese schwere Pflicht auf mich genommen und bringe Euch die letzten Grüße Rübegers.

Gotelinde: Die — letzten — Grü — ße. (Mit einem Aufschrei faßt sie nach der Hand Kürnbergers): Was hat Euch eine arme Frau getan, daß Ihr sie so quält? Was könnte Rübeger geschehen sein, wer hatte einen Groll auf ihn? So muß ein unvernünftiger Zufall, ein Unglück, dessen Grund man nicht erfaßt . . . Nein, nein, laßt mich zu ihm, er ist vielleicht verwundet . . .

Dietlinde: Und Giselher, was ist's mit ihm? So sprecht doch, steht nicht wie ein Pfahl; wo ist mein Giselher?

Kürnberger: Er hatte keine Zeit, noch Grüße für seine schöne Braut mir aufzutragen.

Dietlinde: So ist er tot?

Kürnberger: Er ist im Kampf gefallen.

Dietlinde: Der Vater verwundet und er tot.

Kürnberger: Verwundet? Sprach ich von verwundet?

Dietlinde: Es fiel dies Wort!

Kürnberger: Frau Gotelinde sprach's, nicht ich. Ich halte Frau und Tochter Rübegers für also stark, daß ich es nicht länger hinziehn mag, zu sagen: Rübeger ist nicht verwundet, sondern tot.

Gotelinde: Und warum tot? Warum? Es fiel ein Stein von einem Sims und schlug ihn nieder, als er vorüberging? Ein Pferd traf ihn mit seinem Hufe? Nicht? So ist's doch?

(Kürnberger schüttelt ben Kopf.)

Dietlinde (mit einem ernsten Blick auf Kriemhilde): Nein, Mutter, es kann kein Zufall sein. Er wußte, was ihm bevorstand. Wie lautete die Botschaft? Wir sollten uns beeilen, wenn wir zu spät nicht kommen wollten. Wir ritten, daß die Rosse dampften; wir drangen durch die Haufen von Heunen, die die Burg umlagern, als sperrten sie den Herd furchtbarer Seuchen ab — und kamen doch zu spät.

Kürnberger: Er fiel im Kampf.

Gotelinde: Im Kampf? Von wem?

Kürnberger: Herr Gernot schlug ihn tot und er Herrn Gernot.

Gotelinde: Gernot, wie faß ich dies? Und wie geschah's? Wer trieb ihn in den Kampf?

Kürnberger: Die Königin.

Gotelinde: Ist dies die Huld und Güte, die Ihr mir zugesagt, ist dies die Freundschaft, die Ihr für Rübeger empfandet? Ihr triebt ihn in den Kampf?

Kriemhilde: Schweigt! Was soll dies Klagen um einen Rübeger. Siegfried mußte sterben, warum nicht Rübeger? Was ist Herr Rübeger vor Siegfried?

Dietlinde: Und Giselher, und warum Giselher? Ihr liebtet ihn, was tat er Euch?

(Kriemhilde wendet sich ab.)

Gotelinde: Und wer bist du, du fürchterlicher Bote, dem Rübeger die herbe Gunst erwies, die letzten Grüße bestellen zu dürfen?

Kürnberger: Ich bin, den Ihr einst Sohn ge- nannt habt, Hartwig von Kürenberg.

Dietlinde: Hartwig!

Kürnberger: Er hat mir aufgetragen, den Vater und Giselher euch zu ersetzen.

Dietlinde: Auch Giselher!

Kürnberger (stolz und bescheiden): So sprach Herr Rübeger!

Sechster Vorgang.

(Dietrich kommt.)

Dietrich: Es ruft mich auf und treibt mich. War meine Bangigkeit wieder einmal der Bote schweren Un- heils? Ich seh euch stehn und starren? Frau Gotelinde ..

(Hildebrand nähert sich ihm mit einer Gebärde der Trauer.

Dietrich: So ist er tot? Führt mich zu seinem Leichnam.

Hildebrand: Er liegt noch immer dort, wo er fiel.

Dietrich: Ihr habt ihn nicht erstreiten können?

Hildebrand: Nein.

Dietrich: So haben wir versäumt, den Lebenden zu schützen und konnten auch den Toten nicht gewinnen. Wo war da Wolfharts großer Mut?

Hildebrand: Wolfhart ist tot.

Dietrich: Und Helfrich? — Wolfewein? — Wichart? — Rischart? — und Gerebart?

Hildebrand: Ihr fraget mich nach Euren Mannen, hier stehen sie. Ich bin es, der allein von ihnen übrig blieb.

Dietrich: Und alles tot? Und wer fiel von den Nibelungen.

Hildebrand: Die fielen nicht, die Ihr dort stehen seht!

Dietrich (wendet sich um): Herr Gunther und Herr Hagen! Das tatet ihr mir an? An diesem Hofe waren meine Mannen das Stückchen Heimat, das kein Mensch vermissen will. Hab' ich euch nicht als Freund gewarnt, und lohnt ihr so die guten Dienste?

Kriemhilde: So weiß ich nun, auf wessen Rat die sonderbare Vorsicht der Nibelungen so viel Verdruß mir schuf. Herr Dietrich, Ihr verrietet mich.

Dietrich: Habt Ihr mir anbefohlen, darob zu schweigen? Habt Ihr mir etwas anvertraut, das ich den Feinden preisgab? Nein — ich erriet Euch. Und was man bloß errät, verrät man nicht.

Kriemhilde: Und bennoch habt Ihr etwas gutzu- machen. Denn wäre Hagen gefallen, — die andern Nibelungen lebten noch, und Blödel lebte und Rüdeger und Eure Mannen. Und Ihr habt gutzumachen wieder mich, denn selbst was Ihr errietet, durftet Ihr den Feinden Eurer Königin nicht hinterbringen. Drum geht nun in den Kampf! Geht in den Kampf um mich!

Dietrich: Um Euch, um Euch rührt' ich nicht einen Finger. Ich tu es um die Ruh' der Welt! Wenn diese beiden aus dem Haus entkämen, so wär' es wie der Ausbruch von wilden Tieren. Sie sind toll von Blut. Ich glaube, daß sie auf ihren Wegen alle überfielen und morbeten.

Etzel: Rings um die Burg stehn meine Heunen. Wohl viele Tausende. So stark sind diese beiden nicht

mehr, daß sie diesen Wall durchbrächen. Nur einen
Schritt vors Tor, so sind sie schon verloren.

Dietrich: Glaubst du? Deine Tausende sind vor
den beiden nur Spreu im Winde. Sieh' die beiden an.
Sie sind, so stumm und ernst sie bastehn, rasend. Ich
bin der Arzt für diese Art von Raserei. (Er nimmt Hilde=
brand die Waffen ab.)

Werbel (schüttelt den Leichnam Schwemmels):
Schwemmel, Schwemmel, ach, warum lebst du nicht mehr,
das zu sehn!

Hildebrand: Herr Gott, der du im Himmel bist,
gepriesen sei dein Name und dein heiliger Wille, der dieser
Schlächterei ein Ende macht.

Hagen (zu Gunther): Leb' wohl, mein Bruder!

Gunther: Leb' wohl.

Dietrich (rennt die Stufen hinauf, schlägt Gunther
das Schwert aus der Hand und betäubt ihn durch einen fürchter=
lichen Schlag auf den Kopf. Dann läßt er die Waffen fallen,
nimmt Hagen um den Leib, wirft ihn hin und hält ihn auf dem
Boden fest): Hildebrand, nimm starke Fesseln.

(Hildebrand nimmt einem Heunen die bereitgehaltenen
Fesseln ab und umwindet Hagens Hände mit Ketten.)

Dietrich: Auch diesen.

(Hildebrand fesselt auch Gunther.)

Gunther (erwacht): Und noch nicht tot? Nur erst
gefangen?

Dietrich: Nun ist der Weg zur Leiche Rüdegers
von Wegelagerern befreit.

Kriemhilde: Wie dank' ich Euch, Herr Dietrich?

Dietrich: Indem Ihr mir's erlaßt, Euch eine Ant=
wort zu geben und Euch anzusehn.

Hildebrand (bringt Hagen und Gunther gefesselt
vor Etzel): Ich bitt' Euch, reizt ihn nicht. Noch ist sein
Zorn nicht wieder besänftigt!

10*

- 148 -

Etzel: Was tu ich nun mit euch?

Hagen: Dankt es dem Geschick, Herr Etzel, daß Ihr auch Christen unter Euren Mannen habt. Mit Euren Heunen allein wär's nicht zu schwer gewesen, fertig zu werden.

Dietrich: Was Ihr auch tut, Herr Etzel, vergeßt nicht, daß Ihr zwei Helden mit diesen gefangen habt. Behandelt sie wie Könige, denn sie sind dessen wert. Ihr Leben ist geheiligt, so viel sie auch von fremden Leben auslöschten. Schickt sie gefesselt nach Worms zurück und laßt sie schwören, nie mehr zurückzukehren. Gelobt den beiden Leib und Leben.

Etzel: Ich gelob' es.

Dietrich: Und nun, Frau Gotelinde, lad ich Euch ein, mit mir den schweren Gang zu Eures Gatten Leiche zu tun.

Gotelinde (wankend): Hartwig, gib mir deinen Arm.

(Der Kürnberger stützt sie und reicht schweigend Dietlinde seine Hand. Nach kurzem Zögern gibt ihm Dietlinde die ihrige. Alle drei schreiten die Stufen hinan. Dietrich und Hildebrand folgen in die Halle.)

Gunther: Bist du zufrieden, Schwester?

Kriemhilde: Noch nicht ganz, (für sich) noch seh' ich einen Kopf auf seinen Schultern. Wie bring' ich den zu Fall?

(Gruppen: Hagen mit Gunther und Etzel rechts. Bewaffnete Heunen um sie. Kriemhilde mit Werbel links.)

Kriemhilde: Biet' deine ganze Schlauheit auf und denke nach, was hier zu tun ist! So nah' am Ziel ein neues Hindernis durch Etzels Wort.

Werbel: Er hat den Helden Leben und Leib gelobt, als wären sie nicht Euer Eigen schon.

Kriemhilde: Soll ich nach so viel Mord und Blut gestatten, daß er nach Worms entlassen wird?

150

Werbel: Vielleicht zahlt er ein hohes Lösegeld? Versucht's.

Kriemhilde: Ein Lösegeld! Ich verlang' es als mein Recht. Noch haben sie kein Wehrgeld mir gezahlt. Wehrgeld und Lösegeld zugleich. Das darf mir Etzel nicht verweigern zu verlangen.

Werbel: Doch wenn sich Hagen weigert, es zu zahlen?

Kriemhilde: Er wird sich weigern. Das erhoff' ich mir. Er wird sich weigern, und dann zahlt er mir mit dem Tode. Du Werbel hast mir treu gedient und hast um mich die rechte Hand verloren . . .

Werbel: Es dient Euch noch die linke, wenn Ihr mit so armsel'gem Diener zufrieden seid.

Kriemhilde: Gut, halt dich bereit, bis ich dich rufe.

Hagen (zu Etzel): Ihr habt etwas gelobt, das Ihr nicht halten könnt.

Etzel: So Fürchterliches Ihr mir angetan, es will mir scheinen, als habt Ihr es gesühnt, und darum seid in meinem Worte sicher.

Kriemhilde (tritt zu ihnen): Etzel, allzu vertrauens- voll gestattest du, daß diese beiden beieinander stehn. Hast du noch nicht genug von ihrem Zorn erfahren? Denkst du, daß diese Eisenfesseln genügen, sie zu halten? Sie entflammen ihre Wut, wenn sie einander ansehn, und dann sind diese Ketten nichts als schwache Stricke.

Etzel: Was willst du?

Kriemhilde: Daß du sie trennst. Leg' jeden in einen andern Kerker. Denn brechen sie dir aus, so wird das schauerliche Spiel von neuem beginnen.

Etzel (sie mit Mißtrauen betrachtend): Wohl hast du recht! Führt sie hinweg und legt sie abgesondert in die Kerker.

(Hagen und Gunther werden getrennt.)

Hagen: Gunther, deine Hand!

Gunther (reicht ihm die Hand): Eine Hand in Ketten! (Er wird abgeführt.)

(Hagen will ihm folgen, in diesem Augenblick ruft)

Kriemhilde: Hagen!

Hagen: Ach, holde Königin, was wollt Ihr von mir? Ich kann Euch nicht mehr zu Diensten sein wie früher, seitdem Ihr meine Hände so beschwert.

Kriemhilde: Noch hab' ich Euch den Mund nicht verschließen können. Und der ist grad' so scharf wie Euer Schwert.

Hagen: Er ist jetzt meine einz'ge Waffe.

Etzel: Laß den Gefang'nen, schmäh' ihn nicht!

Kriemhilde: Ich will ihn mit keinem Worte schmähen, wenn er tut, was ich verlange. Du wirst mir beistehn, König, von ihm mein Recht zu fordern. Ich hab' noch eine gute und gerechte Sache auszugleichen. Er steht gefangen vor mir, mein Gefang'ner, und will er seine Freiheit wieder, so ist es billig, daß er ein Lösegeld bezahle. Doch nicht nur dies hab' ich zu fordern. Auch ward mir noch kein Wehrgeld ausbezahlt, den Mord des Gatten zu sühnen.

Etzel: Wehrgeld und Lösegeld?

Kriemhilde: Doch will ich zeigen, daß ich billig denke: ich lege Wehrgeld und Lösegeld in eins und, wenn ich es verlange, so verlang' ich trotzdem nicht mehr, als doch mein eigen ist nach göttlichem und menschlichem Gesetz.

Hagen (höhnisch): Was wird das nun wohl sein?

Etzel: Ich kann es nicht verwehren, daß Kriemhild dies fordert. Es scheint mir billig zu sein.

Kriemhilde: Ich will als Wehrgeld und Lösegeld nur den Hort der Nibelungen, der ohnehin schon mein ist, als Siegfrieds Gattin.

Hagen: Oh weh!

Kriemhilde: Nun, sprecht!

Hagen: Oh weh! Grad das! Warum habt' Ihr Euch grad' den Hort als Wehrgeld ausgedacht?

Kriemhilde: Wollt Ihr mir sagen, wo er liegt?

Hagen: Er ward im Rhein versenkt.

Kriemhilde: Ich weiß es. Doch wo?

Hagen: Ich weiß es nicht. Versteht mich recht: ich schwor, es nicht zu wissen, so lange noch ein einziger der Könige am Leben ist.

Kriemhilde: So weigert Ihr Euch? Was soll ich tun? (Sie geht von ihm fort.)

Etzel (zu Hagen): Laßt Euch des Eids entbinden. Ihr seht, daß sie von Sinnen ist.

Hagen: Kommt endlich König Etzel auch dahinter, daß sie rasend ist. Nun ist es wohl zu spät.

Kriemhilde (zu Werbel): Werbel, leih mir deine linke Hand.

Werbel: Was soll ich tun?

Kriemhilde: Sie ist wohl stark genug, den König Gunther zu töten, wenn er in Ketten liegt. Geh hin und schlage ihm das Haupt ab.

Werbel: Ihr sollt mit meiner linken Hand zufrieden sein. (Ab.)

(Gotelinde, Dietlinde, Kürnberger, Dietrich und Hildebrand kommen aus der Halle. Die Frauen ernst, doch gefaßt.)

Gotelinde: Er liegt so friedlich, als sei er nicht im Kampf gefallen, als habe ihn ein sanfter Tod aus großem Wirrsal erlöst.

Dietlinde: Und Giselher liegt dicht bei ihm. Das Leben warf sie weit auseinander, der Tod hat sie gesellt.

Kürnberger: Dein Giselher fiel wie ein Held. Er hat sich deiner wert gezeigt.

Dietlinde (reicht ihm die Hand): Ich danke dir.

(Werbel kommt zurück. Er hebt ein blutiges Schwert in der Linken und zeigt es Kriemhilde.)

Kriemhilde: Nun, Hagen, nun kommen wir doch wohl zu einem Ende. Ihr habt geschworen, vom Hort ber Nibelungen nichts zu wissen, so lange noch einer der Könige am Leben ist. Nun sprecht, denn König Gunther lebt nicht mehr.

Hagen: So, lebt er nicht mehr?

Kriemhilde: Er ist tot, auf diesem Schwert seht Ihr sein Blut.

Hagen: So ist es nun nach deinem Willen geschehn. Doch geschah es auch, wie ich es mir erdachte. Nun ist Herr Gunther tot und Giselher und Gernot und Dankwart und mein tapfrer Volker. Den Schatz weiß nunmehr niemand als Gott und ich allein. Du Teufelin! Er soll dir auf immerdar verhohlen sein.

Kriemhilde (reißt ihm Balmung aus der Scheide): So zahlst du mir als Lösegeld und Wehrgeld dein eignes Leben. (Sie schlägt ihn nieder.)

Etzel: Du schreckenvolles Weib. Von einem Weib gefällt, der grimmste Recke! Oh Schmach und Schmerz.

Hildebrand: Herr, Herr, was sagte ich: der Tod muß aussehn wie ein Weib. Er hat so fürchterlich gewütet, daß sein eigner Bote ihm verfallen ist. (Er schlägt Kriemhilde tot.)

Kriemhilde: Siegfried, Siegfried! (Stirbt.)

Dietrich (zu Etzel): Verzeiht ihm seine Tat. Und glaubt mir, sein Schwert hat eine unglückliche Frau erlöst.

(Etzel wendet sich erschüttert ab. Dietlinde weint an der Schulter Gotelindes.)

Kürnberger (der auf den Stufen der Halle stehen geblieben, hebt die Geige Volkers auf, die neben seinem Leichnam liegen geblieben ist, und betrachtet sie): Welch ungeheures Lied in diesen Saiten schläft! Ich nehme sie an mich als Erbe und will ihr lauschen. Vielleicht, daß ich erfasse, was sie durch Volker nicht mehr sagen kann. Ein Lied vom Kampf der Nibelungen und ihrem Ende?

Ende.

Berichtigungen.

Seite 3 Zeile 5 von unten: statt „Hainburg" lies „auf der Etzelburg".

Seite 6 Zeile 6 von oben: statt „belohnte" lies „belehnte".

———————

Verlag von F. Fontane & Co., Berlin-Grunewald.

Karl Hans Strobl:

Die Vaclavbude

Ein Prager Studentenroman

Preis broſch. M. 3.—, geb. M. 4.—

Breslauer Morgenzeitung: „Die Vaclavbude", ein Prager Studentenroman, betitelt ſich das neueſte Werk des bekannten mähriſchen Dichters Karl Hans Strobl. Der Schauplatz dieſes für die öſterreichiſche Studentenſchaft geradezu typiſchen Romans iſt das goldene Prag, die Stadt, in welcher der Nationalitätenkampf zwiſchen Deutſchen und Tſchechen am heißeſten entbrannt iſt. Zwiſchen dem deutſchen und dem ruſſiſchen Studenten mitten drin ſtehend, kann der öſterreichiſche Student nicht unberührt bleiben von den großen Fragen der Öffentlichkeit, wie der reichsdeutſche Student, — er iſt aber auch kein Verſchwörer und Agitator wie der ruſſiſche. Die Prager Studenten ſind vor allen andern politiſch-national geſinnt, in den Kollegien und Laboratorien wird jede Reichsratſitzung mit der Lebhaftigkeit einer großen Partei disfutiert. Strobl hat ſeinem Roman eine ſo charakteriſtiſche und intereſſante Färbung gegeben, daß er auch in Deutſchland als ungewöhnlich und in den ſchwarzgelben Kreiſen geradezu als Senſation empfunden werden wird. Strobl hat damit den erſten realiſtiſchen Studentenroman geſchrieben, er gibt nicht nur die idealiſierte Außenſeite des Studentenlebens, ſondern auch ſeine Abgründe und Nachtſeiten und zeigt, welch tiefer unverſiegbarer Strom von Volksbewußtſein darin ſteckt. Der Roman, der in der Zeit der Badeni-Eskandale von 1897 ſpielt, bringt die Gegenſätze, die an der Moldau in einer unerhörten Schroffheit herrſchen, zu einem glänzenden Ausbruck. In einer büſteren Glut heben ſich die Ereigniſſe von dem mächtigen Hintergrund des Trieſter Aufſtands und der mähriſchen Univerſitätsfrage ab.

Wilhelmshavener Tageblatt: Strobls Erzählung, deren ſchlichte Helden ein paar Prager Burſchenſchafter ſind, ſchildert mit großer dichteriſcher Kraft und Anſchaulichfeit, die ſtellenweiſe an das Packendſte, was Zola geſchrieben hat, erinnert, Stimmungen und Vorgänge in den blutigen Prager Dezembertagen nach dem Sturz des Miniſteriums Badeni, ohne dabei viel von Politik zu reden.

Verlag von F. Fontane & Co., Berlin

Es erschien von

Karl Hans Strobl

Romane
Die gefährlichen Strahlen
Die Vaclavbude | Der Fenriswolf

Novellen
Bedenksame Historien

Skizzen
Aus Gründen und Abgründen | Und sieh, so erwarte ich Dich

Schauspiel
Die Starken

Essays
Die Weltanschauung in der Moderne | Der Buddhismus und die neue Kunst

❦

Die Geschichten der Bettina von Arnim
Herausgegeben von
Karl Hans Strobl und Karl Wilh. Fritsch.

Pierersche Hofbuchdruckerei, Altenburg